CLARISSA BRITO

O ENEGRECER PSICOPEDAGÓGICO

UM MERGULHO ANCESTRAL

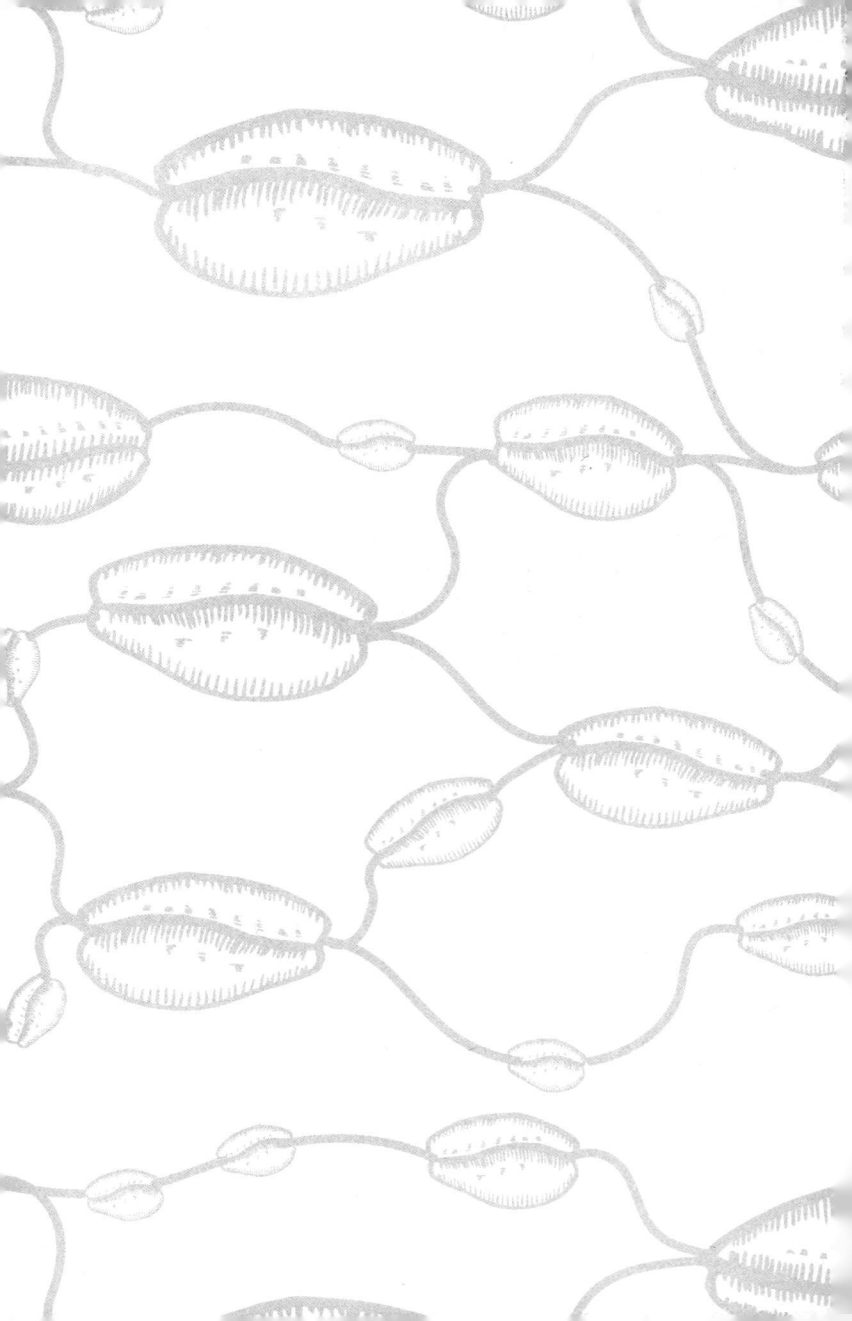

CLARISSA BRITO

O ENEGRECER PSICOPEDAGÓGICO

UM MERGULHO ANCESTRAL

jandaíra
São Paulo, 2021
1ª edição

Copyright © Clarissa Brito, 2021
Todos os direitos reservados à Editora Jandaíra, e protegidos pela Lei 9.610, de 19.2.1998. É proibida a reprodução total ou parcial sem a expressa anuência da editora.
Este livro foi revisado segundo o Novo Acordo Ortográfico da Língua Portuguesa.

DIREÇÃO EDITORIAL
Lizandra Magon de Almeida
ASSISTÊNCIA EDITORIAL
Maria Ferreira
PREPARAÇÃO DE TEXTO
Lorrane Fortunato
REVISÃO
Dandara Morena
CAPA, ILUSTRAÇÕES E PROJETO GRÁFICO
Leonardo Freires da Silva
DIAGRAMAÇÃO
Daniel Mantovani

Dados Internacionais de Catalogação na Publicação (CIP)
Maria Helena Ferreira Xavier da Silva/ Bibliotecária – CRB-7/5688

Brito, Clarissa
B862o O enegrecer psicopedagógico : um mergulho ancestral / Clarissa Brito. – São Paulo : Jandaíra, 2021.
96 p. ; 21 cm.

ISBN 978-65-87113-62-3

1. Negros - Condições sociais - Brasil. 2. Negros - Identidade racial - Brasil. 3. Brasil - Relações raciais. I. Título.

CDD 305.896081

Número de Controle: 00026

jandaíra

Rua Vergueiro, 2087 cj. 306 • 04101-000 • São Paulo, SP
11 3062-7909   editorajandaira.com.br
Editora Jandaíra   @editorajandaira

Para a força ancestral, que
me trouxe até aqui.

À potência de Oxum em meu orí,
que possibilitou o enfrentamento
do desafio da escrita preta e à
minha família (Angela, Marcos
e Amaro), por diariamente
impulsionarem meus sonhos.

À minha amiga Julia Tavares, por
verbalizar que a escrita me esperava.

Agradecimento especial a Luiz Paulo
Sobral Neves, Rodney William e
Nivia Luz, por regarem com amor
minha trajetória ancestral.

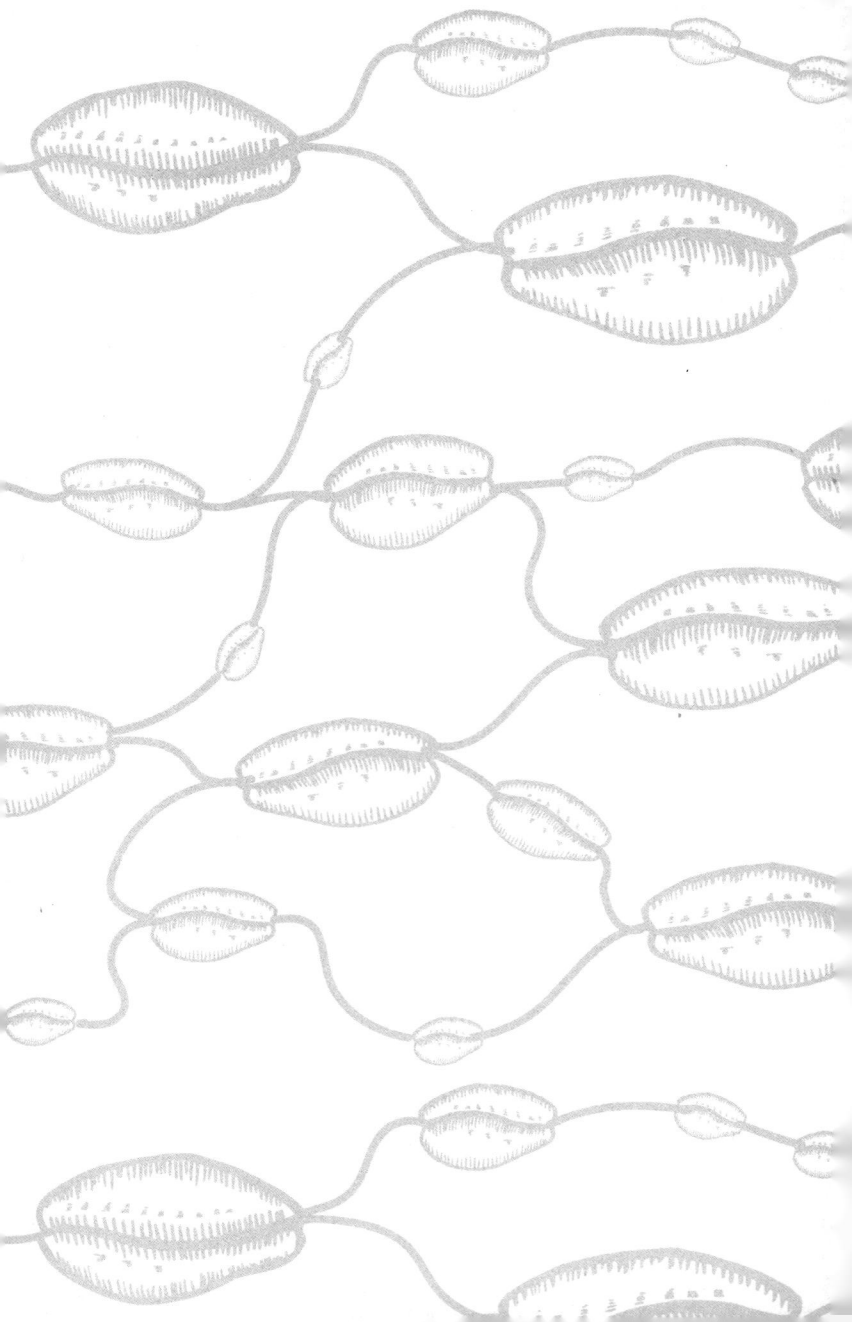

SUMÁRIO

APRESENTAÇÃO 9
PREFÁCIO 15

PALAVRAS DE INTERLOCUÇÃO 20
INTRODUÇÃO 25

CAPÍTULO 1
O Movimento Sankofa:
"O futuro ancestral" 33

CAPÍTULO 2
O Grande Ebó:
O verdadeiro abrir de caminhos 43

CAPÍTULO 3
Por um Enegrecer Psicopedagógico:
Caminhos para a aprendizagem
e a autoria de pessoas negras 69

CAPÍTULO 4
Considerações finais:
A cabeça em expansão 83

REFERÊNCIAS BIBLIOGRÁFICAS 89

APRESENTAÇÃO

Cheguei ao mergulho ancestral da Clarissa, para o qual fui convidada. Nessa terra desconhecida, como estrangeira, tropecei, esbarrei em quase tudo, mas me deslumbrei com a expansão e o alargamento do pensamento que a arqueologia de si permite e impulsiona.

Seria possível uma equivalência das metáforas e dos conceitos percebidos com os fundamentos e a prática psicopedagógica?

Poderia haver um sincretismo, como se costuma dizer?

Creio que qualquer tentativa de equivalência ou integração reduziria a força da diáspora.

> *Bem-te-vi que estais cantando*
> *Nos ramos da madrugada,*
> *Por muito que tenhas visto*
> *Juro que não vistes nada,*
> *Não vistes as letras que apostam*
> *Formar ideias com o vento.*
> *E as mãos da noite quebrando*
> *Os talos do pensamento.*
> **Cecília Meirelles**

São os pensamentos quebrados que nos levam a transpor barreiras. As sínteses empobrecem o espírito, mas a convivência dos contrários, dos diferentes, nutre os entendimentos.

Na chegada, fui surpreendida com um novo convite!

Vamos juntos nessa trilha, diz Clarissa no final do seu trabalho.

Começar de novo era quase que uma sentença, era mais que uma proposta. O deslumbramento vivido na aventura que acabava ressoava em surdina como um murmúrio, um canto de liberdade, alegria, criatividade e insolência.

Então, com a coragem que Sankofa inspira: "Nunca é tarde para pegar o que ficou para trás", aceitei o convite. Sankofa é simbolizado por um pássaro com a cabeça voltada para trás, representando um retorno ao passado que ressignifica o presente para construir o futuro.

No caminho de volta, o murmúrio se ampliou à medida que eu ia ressignificando e resgatando o que ficou para trás. Não era mais estrangeira, já não tropeçava tanto.

No seu mergulho ancestral, Clarissa descobriu que não estava só, e eu percebi a amplitude e a importância dessas presenças.

O canto de liberdade, alegria, criatividade, insolência puxava acordes de amor e silêncio nas vozes das presenças que habitam o seu espírito. Essas presenças mitológicas dos diferentes orixás cumprem a ordem ancestral de Ser Feliz. No entanto, a aventura da construção da autonomia que a arqueologia de si proporciona brota nesse espaço habitado, mas é uma elaboração própria, uma edificação única e difícil, que exige muita coragem.

A coragem de conseguir se enunciar "no timbre da sua própria voz".

A coragem de nutrir seu espírito na potência máxima, no extraordinário, no impossível, para além da realidade.

É na construção da autonomia marcada pelo princípio da Esperança, da Vida e da Alegria que o trabalho da Clarissa se encontra com a psicopedagogia. É um encontro na fonte primeira e não numa fusão forçada.

Na busca de si, a autora vive e experimenta a dimensão contextual determinante do sujeito cognoscente. O sujeito do conhecimento encarnado. É a partir do conhecimento e da compressão de si e do mundo que se estabelece as bases de uma psicopedagogia revolucionária, fiel a si mesma, como uma pedagogia da psique, da alma e do espírito.

Essa transformação levaria a um novo "eu penso" como processo dramático de criação, invenção, gozo e liberdade. "Eu penso" seria uma unidade emergente de multiplicidades advindas da lógica, do desejo, da paixão e das relações interpessoais, contextuais e culturais. O pensamento então brota nesse terreno contraditório povoado de fantasias, imaginação, mitos e cálculo.

O ser cognoscente tem também dois modos de funcionamento, um consciente e o outro inconsciente. A tomada de consciência pela racionalidade é insuficiente, não consegue responder nem explicar interrogações fundamentais, porque a razão é limitada. Esse aprisionamento clama por transcendência e somente a arte possibilita essa ultrapassagem, socorrendo a razão e impedindo que ela necrose ou enlouqueça.

Clarissa, obrigada pelos convites. Descobri há pouco tempo que convite vem de convívio e convívio vem de banquete.

Obrigada pelo convívio e pelo banquete em que foi servido "um alimento sagrado" que trouxe, sem dúvida, mais vida, alegria e amor para a psicopedagogia.

MARIA CECILIA DE ALMEIDA E SILVA *é psicopedagoga e criadora do Instituto Pró Saber, instituição com mais de 30 anos de existência, reconhecida pelo Ministério da Educação e Cultura e premiada pela Unesco. A instituição tem programas de graduação, pós-graduação e um Laboratório de Pensamento que prepara professores para a vida.*

PREFÁCIO

A importante obra da Clarissa Brito da Silva – *O enegrecer psicopedagógico: um mergulho ancestral* – nos possibilita um olhar para a educação decolonial e descolonial. Uma proposta revolucionária, moderna e, ao mesmo tempo, ancestral. Sim, podemos colocar todos esses adjetivos no mesmo balaio. Não há nada tão vanguardista quanto as culturas originárias. Tudo já foi dito, soluções já sinalizadas.

Para a cultura Iorubá o tempo é circular, tudo já aconteceu. E tudo se desdobrará no futuro como uma velha novidade. Existe um provérbio que sinaliza que o Tempo é sempre o passado que lança luz sobre o presente e o futuro imediato.

Cada página deste livro me fez viajar no Tempo. Vi um menino negro, na carteira escolar, querendo ser invisível.

Cursando a pós-graduação em psicopedagogia, eu acreditava que a minha motivação era o amor pelo processo educacional. Simplesmente queria cuidar do outro, mas em uma das aulas, que tratava sobre dislexia, vi a minha vida sendo traduzida pelas palavras da professora. Ali eu ouvi o meu diagnóstico: sim, sempre fui disléxico e não sabia. Sou de uma geração que não falava muito as nomenclaturas e conceitos das dificuldades de aprendizagens.

A minha questão na leitura era justificada por timidez, lentidão e, para alguns colegas, burrice. Tudo somado com a perversidade do racismo. Eles não imaginavam que eu seria um adulto disléxico, professor, cientista, com livros publicados e muito bem vendidos, roteirista de televisão e cinema, ator, diretor, dramaturgo com dezenas de textos teatrais encenados, palestrante até em outros países... Tudo que envolve a leitura e a escrita. Como dizia o meu ancestral pai, Nelson França: "O Tempo é o senhor da razão".

Volto ao tempo e me lembro daquele menino que era o último a terminar o trabalho e que gaguejava para ler em voz alta. Eu suava frio quando cada aluno tinha que ler um trecho do texto determinado pela professora. Com o tempo, fui desenvolvendo métodos para que a minha suposta lentidão não me colocasse em constrangimentos. Qualquer deslize era um motivo de gargalhada, piadas.

Lentidão? Quem determina o Tempo de cada pessoa? Onde está a subjetividade que nos humaniza? Sim, porque os padrões são definidos para que tenhamos que acompanhar um modelo. A escola começa a castrar a nossa forma ímpar de entender os ensinamentos do mundo.

Hoje enxergo que a psicopedagogia também está para que consigamos construir saberes e encontrar formas de ultrapassar o descompasso violento que o processo de ensino-aprendizagem normalmente determina. Somos plurais, sendo assim, o meu tempo é próprio e deve ser respeitado.

Tive que encontrar no futuro aquilo que marcou o meu passado e hoje entendo que faz parte do meu eu. Sem amarras, sem determinismos, somente o meu TEMPO.

Eu o saúdo: ZARÁ TEMPO!

RODRIGO FRANÇA *é psicopedagogo, pesquisador, ator, diretor, dramaturgo*

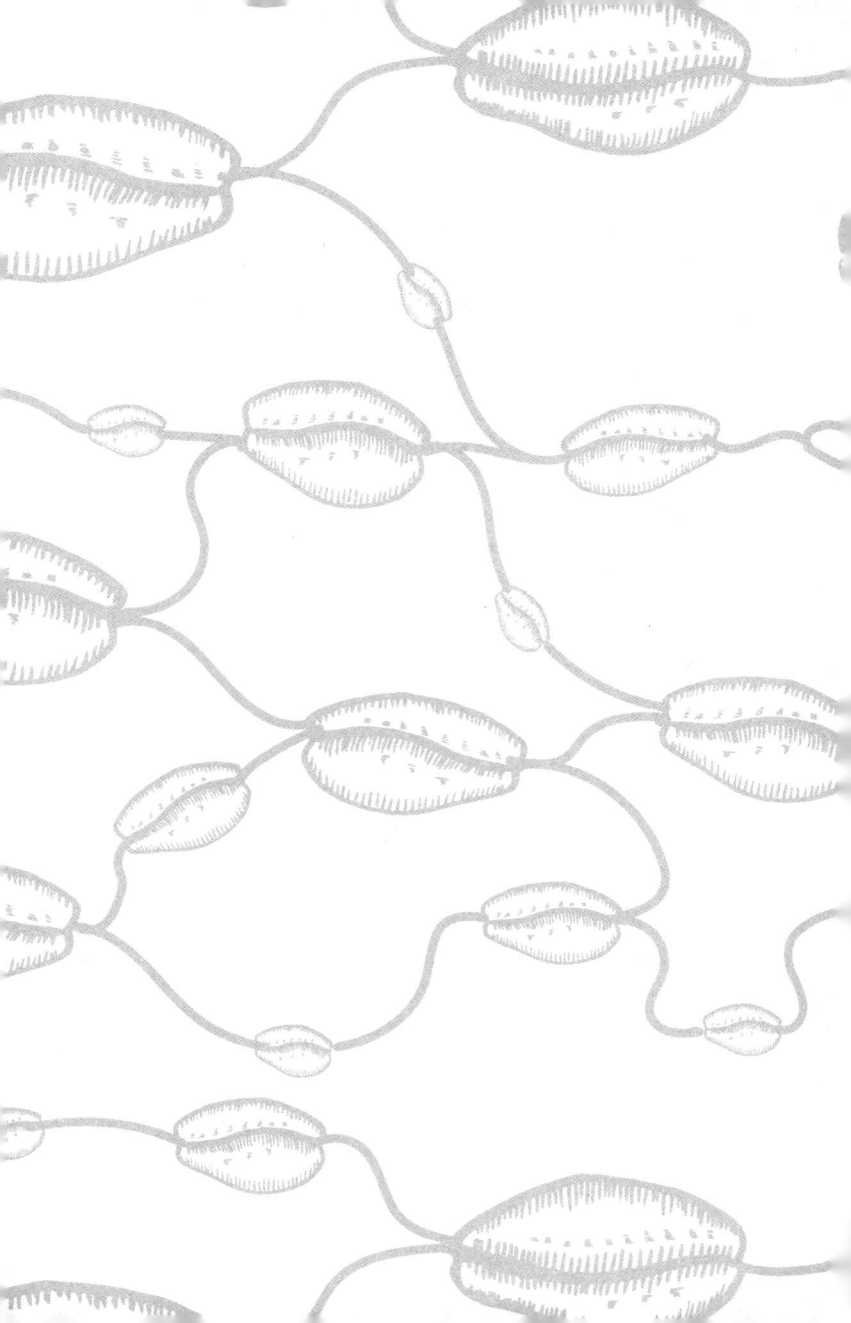

PALAVRAS DE INTERLOCUÇÃO

*Para ampliar a experiência, o mergulho
e a vivência neste livro, preparei afetuo-
samente um punhado de significados
para dar aroma e sabor à leitura.
A escolha por um "não glossário" foi um desejo
explícito de não classificar termos ancestrais e
potentes como um conjunto de palavras pouco
conhecidas, arcaicas, peregrinas ou dialetais.
Os termos abaixo são vivos, de significados
próprios da minha vivência preta, complexos
e de grande poder de cura e fortificação.*

Ajeum. A palavra ajeum (ajeun) é a contração das palavras awa (nós) e jeun ou jé (comer) transformada poeticamente em "comer juntos". O Ajeum é a reunião da comunidade em torno de um alimento comum. Traduzida no livro como propósito de toda a pesquisa, a partilha de um olhar fortalecedor para uma interpretação preta do mundo.

Axé. Energia vital de cada ser, entre os Iorubás. Acredito que seja a palavra mais forte que já saiu pela minha boca.

Ebó. Momento de conexão e de abertura de caminhos dentro das religiões de matrizes africanas. É a ferramenta de articulação do bem viver.

Exu. Orixá da comunicação, força propulsora de todo pensar, de todo sentir. Representa a possibilidade em ação da abertura do caminho para o Enegrecer Psicopedagógico ser forjado, experimentado e sentido. Aqui Exu é voz que exala e regozija a multiplicidade de caminhos.

Irmandade Rosário dos Pretos. Entidade trissecular religiosa, social, cultural e que luta pela continuidade das tradições negro-africanas e do Culto à Mãe do Rosário iniciados há mais de 400 anos pelos primeiros negros Banto. A Igreja do Rosário e os irmãos da irmandade são canais de entendimento de si para corpos negros.

Ifá. Sistema divinatório que se originou na África Ocidental. No contexto da obra, representa a experiência iniciática de religiosidade de grande conexão com a própria essência, principalmente com o lugar e potência que temos no mundo.

Omi. Além de água, também significa vida, fecundidade, acalanto. É a passagem, as estratégias possíveis para atravessar barreiras estruturais que impossibilitam o viver em gozo de conhecimento e desenvolvimento.

Ori. Palavra da língua Iorubá que significa "cabeça" em tradução literal. Refere-se a uma intuição espiritual e a destino. Ori é o Orixá pessoal, em toda a sua força e grandeza. No livro, Ori é o grande solo fértil para o nascimento de um olhar, uma perspectiva.

Oríkì. Em Iorubá, a palavra significa "louvar, saudar, evocar". Os Oríkìs são palavras e narrativas de muito axé (força) aos orixás que cumpriram o papel de clamor por sabedoria ancestral no processo de encontros e construção conceitual.

Oxóssi. Muito mais que orixá da caça, rei de uma única flecha, a força das matas, vigor e estratégia, é a assertividade das escolhas únicas, das decisões planejadas para cada situação de aprendizagem. Oke aro! (saudação ao orixá Oxóssi).

Oxum. A definição mais desafiadora desse conjunto grande de palavras! Oxum que é a força da água, o mais amplo conceito de amor, orixá da fertilidade, rainha da beleza, dona do meu coração. No Enegrecer Psicopedagógico é a direção, é a força que governa a afetividade e o reencontro genuíno com o espelho. Ora yeyeô (saudação ao orixá Oxum).

Sankofa. Ideograma Adinkra, conjunto de símbolos ideográficos dos povos Acã, grupo linguístico da África Ocidental, que em tradução literal significa "volte e pegue". Neste livro, relaciona-se com a jornada de retorno em si para o renascimento de um fazer profissional e vital ancestral.

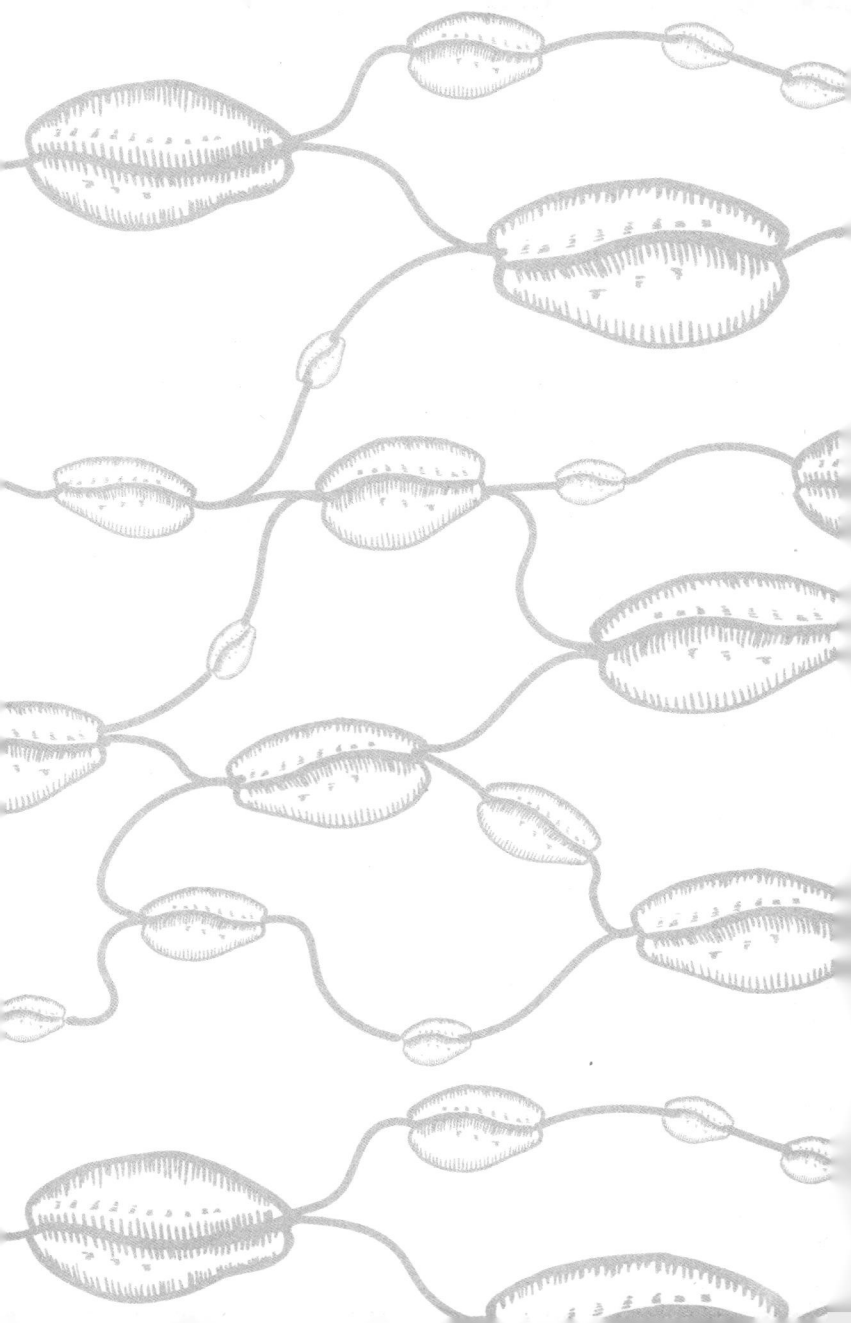

INTRODUÇÃO

> *Aqueles que têm na pele a cor da noite sabem que educar é tornar-se semelhante aos ancestrais. O brilho dourado de uma só mulher [...] é o luminar de todo um povo que traz na superfície de sua pele a profundidade de sua história.*
> **Vanda Machado, citada por Eduardo Oliveira**

Na filosofia do povo Akan, Sankofa ("nunca é tarde para voltar e apanhar aquilo que ficou para trás") é simbolizado por um pássaro com a cabeça voltada para trás – representando o retorno ao passado, que possibilita a ressignificação do presente para, então, elaborar e viver o futuro.

Inspirada no deslocamento de Sankofa, busquei elementos substanciais para a enunciação de Clarissa Brito: negra, mulher, educadora antirracista, especialista em Educação Infantil e, hoje, psicopedagoga. A convite de Maria Cecília Almeida e Silva e das educadoras Cristina Porto e Denise Gusmão, mergulhei em uma especial jornada, revisitando o percurso que me levou à formação em Psicopedagogia que eu concluía (GUSMÃO; PORTO, 2018a).

Meu gesto de mover a cabeça para trás e vivenciar o processo de "arqueologia de si" (GUSMÃO; PORTO, 2018b) me levou a comungar minha ancestralidade com a experiência psicopedagógica, dando origem ao que reconheço como "caminho de Ifá psicopedagógico".

Uma iniciação ao culto de Ifá coloca você em contato com seu destino, com sua trilha de vida, com sua essência. Dessa forma, conectar minhas memórias ancestrais com os marcos de inquietação profissional foi um redescobrir de minha forma de ser e estar na educação e no mundo. Um processo de tomar posse de meu bastão e encontrar o timbre de minha voz. Esse movimento de incursão me conecta ao sensível olhar de Madalena Freire ao descrever o educador como dono de sua trilha. No perceber-se como fazedor de histórias, marcado por nosso inacabamento e finitude, ser dono do próprio destino pedagógico, profissional e pessoal é crucial para o processo de formação desse sujeito pensante, autor e construtor de conhecimento (FREIRE, 2008, p. 43).

Minha trajetória de formação pode ser lida como o "Expandir, Movimentar e Transformar", apontado por William (2019) ao conceituar a epistemologia de Exu – a possibilidade de viver em potência máxima. Expandir, Movimentar e Transformar é a legítima expressão do processo de ampliação das reflexões e dos saberes que cercam meu fazer no território da educação e da aprendizagem, a busca por um campo epistêmico para diálogo que permita convergir diferentes demandas. Exu, o orixá, é o próprio movimento de realização.

A amarração das perspectivas de Exu se deu pelo impulso vital que esse orixá propicia àqueles que convocam sua presença. Acredito, ainda, que o poder de realizar da energia desse orixá expressa em que medida os movimentos e correntes que motivaram minha expansão até tornar-me psicopedagoga é a tal obrigação ancestral de ser feliz, que, para William, é o grande objetivo de nossas vidas.

É importante ressaltar a magnífica provocação de William sobre a ordem ancestral de felicidade, pois ele disponibiliza como referencial a essa reflexão as diferentes representações de nossos orixás. Todos carregam em punho uma ferramenta para lutar pela vida, suas narrativas e itans que possibilitam o desenvolvimento do autoconhecimento e a busca por realização. Um dia ele me disse: "Com espelho na mão, Oxum vence a guerra!" E eu, preta, mulher com esse orixá vivo em mim, com desejo, impulso e bravura busco, com compromisso de reparação e reconstrução, expandir minha presença na educação e na aprendizagem coletiva.

Ao longo de meu percurso de atuação em sala de aula, a perspectiva das individualidades de aprendizagem, que compõem a experiência coletiva da vida, tem sido meu transe educacional. As diferentes possibilidades de aprender das crianças, combinadas com os distintos indícios que elas fornecem em suas formas de se colocar em situações de aprendizagem, nutriram e afligiram meu olhar. Isso sempre me colocou em contato com um grande ensinamento ancestral, a grande prerrogativa de Exu, o aperfeiçoamento da comunicação com o universo como forma de estar no mundo (WILLIAM, 2019). Exu, o orixá, é a maior expressão do comunicar. Ele fala todas as línguas, representa a multiplicidade, come tudo que a boca come e é o grande interlocutor da humanidade.

Os ambientes de aprendizagem não estão em busca do desenvolvimento de nossa comunicação? Como diferentes formas de estar no mundo estabelecem diálogo em uma sala de aula ou em outro ambiente educacional? Qual o impacto do afeto expressado em meu olhar atento para a aprendizagem das crianças? O que as variadas formas e possibilidades de aprender falam sobre a trajetória de cada um?

Essas perguntas, fundamentais para compreender o processo de construção de conhecimento na infância, vinculadas ao desejo de nomear, refinar e reafirmar uma característica marcante no meu contexto profissional, com meu olhar atento em sala de aula, me levaram como correnteza para o curso de Psicopedagogia no Instituto Pró-Saber.

No entanto, como no Oriki de Exu – "Exu matou um pássaro ontem, com uma pedra que atirou hoje" –, o curso foi um sensível e potente mergulho pessoal, além de uma revolução profissional. A psicopedagogia fazia parte de meu caminho!

Os elementos da formação chegaram como alimento sagrado, proporcionando saciedade e vitalidade. Já nas primeiras experiências, pude provar o sabor marcante dessa conexão. Foi como o gosto de azeite de dendê, num prato de axé. Ampliei o olhar sobre a psicopedagogia, compreendendo essa ciência como campo complexo e inovador. De alguma forma já vibrava em mim a possibilidade de um olhar plural para o processo de aprender, capaz de dialogar com um elemento estruturante na vida de muitas crianças como eu: a negritude.

A hipótese de que tal ciência era simplesmente a articulação da psicologia com a pedagogia como ferramenta para a compreensão e o tratamento das dificuldades de aprendizagem ficou insuficiente.

A vitalidade do alimento de axé é tanta que o profundo percurso de escavação teve início sem que eu tivesse consciência de que já estava em processo de me tornar psicopedagoga. Eu acabara de refutar uma hipótese e visitava, de maneira incessante, minha concepção de conhecimento, a intervenção pedagógica, meu processo de aprendizagem e meu desejo de aprender.

A Psicopedagogia me convidava a vivenciar meu movimento Sankofa. O retorno aos elementos de grande relevância do passado é que daria a possibilidade da caminhada em expansão. Era preciso voltar, pegar, acessar componentes identitários para seguir.

E eu aceitei o convite, pois, afinal, como diz Katiúscia Ribeiro, o futuro é ancestral!

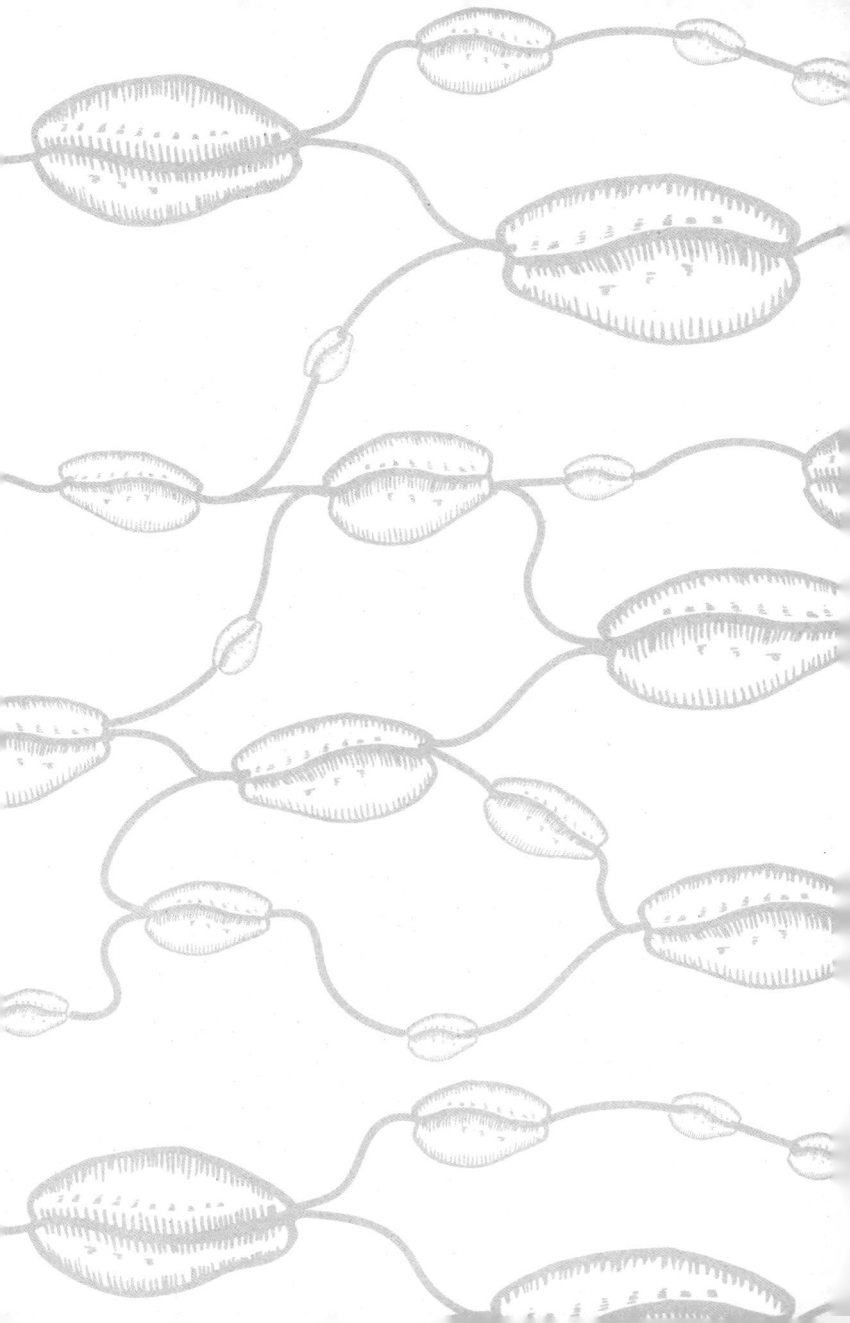

CAPÍTULO 1
O MOVIMENTO SANKOFA: "O FUTURO ANCESTRAL"

> Ibà ni mo jeo
> *(Faço uso dessa oportunidade para saudar todas as energias vitais)*

Minha trajetória de formação pode ser vista como uma busca constante de expansão do meu existir na educação, visto que cheguei à Psicopedagogia com o desejo de nomear, refinar e reafirmar uma característica marcante no meu contexto profissional, além de ressignificar minha prática.

Na sala de aula, eu identificava diferentes possibilidades e formas de aprendizado das crianças. Esse olhar atento aos diferentes indícios que as crianças forneciam na maneira como agiam nas situações de aprendizagem me levou a querer saber mais sobre como intervir para ampliar suas possibilidades de desenvolvimento.

Meu percurso de construção como psicopedagoga se deu por meio de um atravessamento bastante específico, a minha conexão ancestral. Tal movimento de embrenhar-me em minha história propiciou mudanças na minha maneira de interpretar o mundo e ser nele.. E meu movimento Sankofa pode ser lido como o objeto da Psicopedagogia, o ser que se conhece e tem sua forma individual de enunciação.

> Se a Psicopedagogia em sua definição preliminar tem como objeto de estudo o processo de aprendizagem que identificamos como o processo de construção do conhecimento, esse processo está

> ancorado, de alguma forma, no sujeito, porque o trabalho psicopedagógico não se dá entre psicopedagogo e o processo de construção do conhecimento e, sim, entre psicopedagogo e o ser em processo de construção do conhecimento, ou seja, o ser cognoscente (ALMEIDA E SILVA, 2010, p. 29-30).

Foi nesse processo que encontrei em mim, nas minhas memórias individuais, coletivas e ancestrais, que, em teoria, não passaram diretamente por mim, mas que formaram o lugar que ocupo hoje socialmente e politicamente, o meu lugar social, meu lugar de fala e articulação, espaço que todo sujeito social possui, como aponta a filósofa Djamila Ribeiro (2017). Ela destaca as palavras de Rosane Borges (apud RIBEIRO, 2017, p. 84) proferidas em uma matéria e evidencia o quanto a identificação de nosso lugar de comunicação é fundamental em nossa maneira de ler o mundo e estar nele: "[...] pensar lugar de fala é uma postura ética, pois saber o lugar de onde falamos é fundamental para pensarmos as hierarquias, as questões de desigualdade, pobreza, racismo e sexismo".

Ao colocar em pauta o conceito de "lugar de fala", Ribeiro (2017) propõe uma reflexão a respeito da localização de poder nos discursos dos grupos sociais na estrutura social vigente. Logo, esse processo reforçou o compromisso que meu discurso e meu corpo negro de mulher em diáspora estabelece com a sociedade. Segundo Bosi (2012), compreendemos que se pode fazer da memória um apoio sólido para a construção do presente e assim torná-la uma verdadeira matriz de projetos. É nessa perspectiva que venho costurando meu lugar e olhar psicopedagógicos.

Os elementos simbólicos e figurativos fazem parte do fazer psicopedagógico e as fotografias também podem compor o balaio de interveções potencializadoras que experimentei. Durante o processo de construção de minha identidade psicopedagógica, o contato com as memórias de vida eternizadas nas fotografias, carregadas de significados, apoiaram meu processo de reconexão com a autoria.

Os elementos da experiência psicopedagógica, como os já citados, chegaram como alimento sagrado com sabor marcante e também se apresentaram no encontro com o inesperado, como em determinadas leituras e possibilidades de entrelace, vivência de grupo operativo e reflexões oriundas da natural convergência da Psicopedagogia com saberes ancestrais.

A imagem a seguir eterniza um tempo cardeal em minha construção identitária. A fotografia possui várias camadas e sentidos ocultos que se

Acervo da autora

Feijão de São Benedito da Irmandade Rosário dos Pretos, no templo de Antônio de Categeró: a energia do alimento sagrado

articulam não só com a história da própria foto, com o momento e com o contexto em que a imagem foi capturada, mas também com as reflexões que, enquanto escrevo, vêm para a consciência. A imagem escolhida por mim revela, portanto, uma "arqueologia de si" (GUSMÃO; PORTO, 2018b) que dialoga com memórias coletivas e ancestrais.

Dispor-me a viver a profunda experiência psicopedagógica, por meio do cuidado de meu Ori, é o caminho de expansão da minha existência.

Pisar na Bahia foi um encontro comigo mesma, com elementos que fervilhavam em mim e que, principalmente, constituíam minha existência.

A Irmandade Rosário dos Pretos representa um quilombo urbano. É uma igreja da religião católica que preserva sua história ligada aos povos que foram escravizados. A liturgia dos cultos faz uso de música inspirada nos terreiros de Candomblé, ao som de atabaques. Nos fundos da igreja, existe um antigo cemitério de negros escravizados. Toda terça-feira é celebrada uma missa católica que incorpora alguns dos elementos da cultura africana, como cantorias, toques de atabaque e danças.

Esse território de convergência de culturas me atravessou profundamente. O ritual das comidas de panela com aqueles temperos e ingredientes específicos, naquele ambiente, foi um convite a revisitar meu caminho até ali. Nascida em uma família católica, fui também marcada por ritos não explícitos, da vivência de axé e resistência do povo negro, como banho de sal grosso para curar mau olhado; uso de plantas do jardim de casa para tratar dores e bronquite; uso de patuá; bebida na encruzilhada. Ao longo de minha vida, compreendi a potente e complexa congruência do meu seio familiar.

Apesar de hoje ser uma mulher de axé, imersa no culto aos ancestrais, entoei o cântico da missa "O clamor de justiça está no ar! O clamor de justiça está no ar! Ouve o clamor ê ê ê! Deste povo negro ê ê á!" (canção que fez parte da Campanha da Fraternidade de 1988, no centenário da Lei Áurea).

Participar da missa de Santo Antônio de Categeró e visitar o santuário de Escrava Anastácia, na Irmandade, foi uma reconexão com minha caminhada nos saberes ancestrais. Enquanto escrevo, revisito com afeto esses fatos, como aconselha Walter Benjamin:

> Quem pretende se aproximar do próprio passado soterrado deve agir como um homem que escava. Antes de tudo, não deve temer voltar sempre ao mesmo fato, espalhá-lo como se espalha a terra, revolvê-lo como se revolve o solo. Pois "fatos" nada são além de camadas que apenas à exploração mais cuidadosa entregam aquilo que recompensa a escavação (BENJAMIN, 1995, p. 239).

Esse processo de escavação foi maravilhoso! Um grande ajeum! Compreendi que a Psicopedagogia cuidaria da enunciação do sujeito no mundo, de sua forma de ler a vida, não apenas dos entraves existentes no processo de "aquisição" de conhecimento. A Psicopedagogia olha o sujeito em sua completude, considera todos os atravessamentos de um viver. Essa descoberta abriu uma gaveta interna, em que reconheci minha forma de leitura e interpretação de mundo, além de encontrar meu caminho de atuação psicopedagógica.

Acredito que essa foi a primeira grande transformação vivida até chegar ao Enegrecer Psicopedagógico: a consciência de quão revolucionário é o olhar psicopedagógico na relação das experiências para o conhecimento e a autonomia.

Os atravessamentos vivenciados transbordaram e, gradativamente, se enunciaram em minhas intervenções educacionais. A conexão de todos os elementos apontados até aqui forneceu energia e ferramentas para que o processo de escavação prosseguisse.

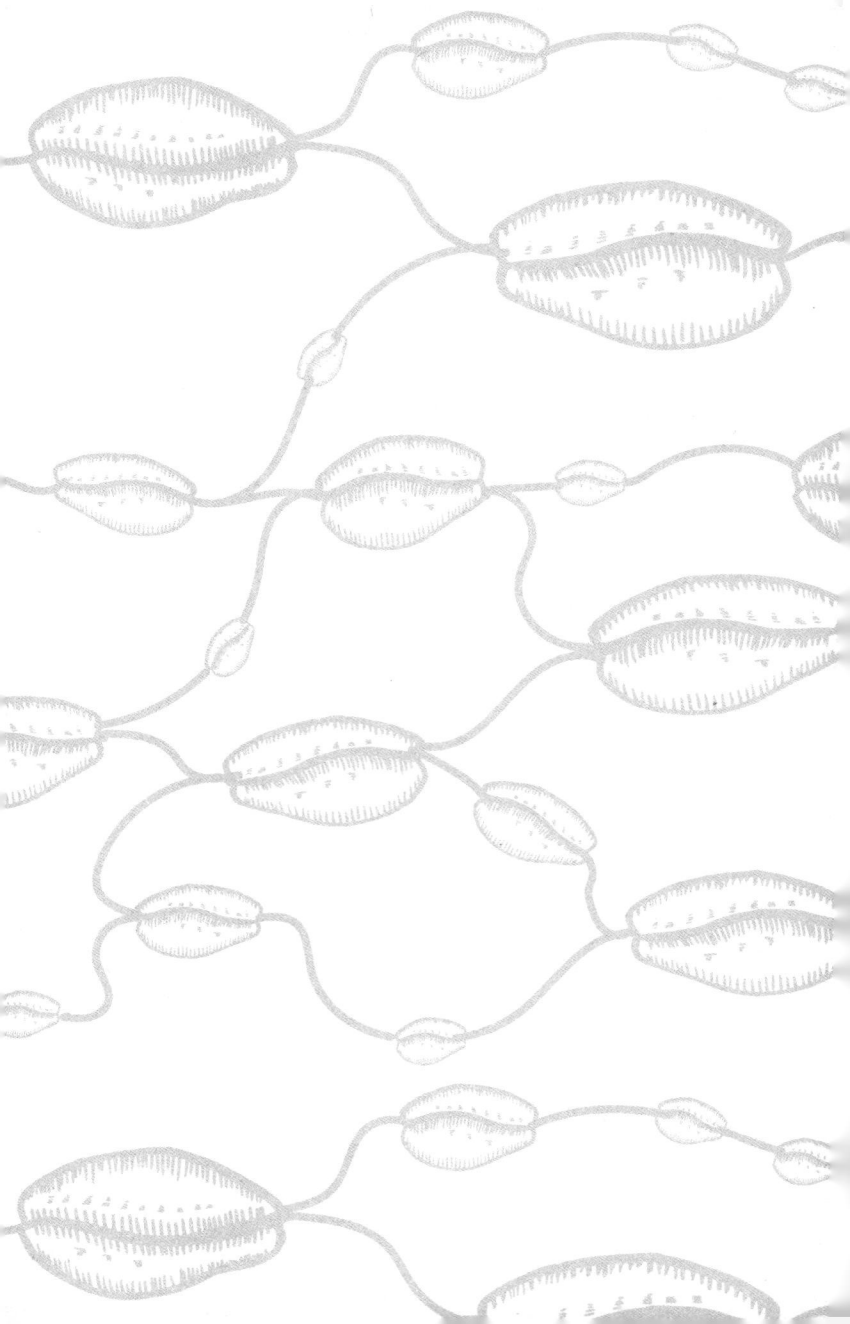

CAPÍTULO 2
O GRANDE EBÓ:
O VERDADEIRO
ABRIR DE CAMINHOS

> *Emocionar-se com as próprias lembranças e com as dos outros [...] todos esses instantes de nossas lembranças quando coletivizados nos comprovam que não temos só memória, mas sim "somos memória", somos autores de nossa própria história pedagógica e política.*
>
> **Madalena Freire**

O processo de nutrição, mesmo coberto de axé, vivido ao longo dessa construção identitária psicopedagógica nem sempre foi palatável, visto que inúmeras vezes precisei retomar leituras, incômodos e reflexões, convidar os temperos da culinária africana (a intelectualidade negra) para finalmente digerir o que estava sendo oferecido e, principalmente, sentir o real sabor do que estava me alimentando. Essas grandes experiências potencializadoras que atravessaram minha forma de ser me tiraram do lugar de conforto, provocando e transformando minha existência e, sobretudo, devolvendo minha autoria.

Algumas experiências foram como queda d'água, que vai passando pelo curso do rio, entre as pedras, ocupando diversos trechos. Ancorada no olhar para o sujeito pleno de razão, relação e emoção, as palavras de Ana Genescá (2016) fizeram sentido: "Autonomia é processo de construção com ponto de partida, mas sem ponto de chegada".

Eu estava vivenciando meu processo de construção de autonomia intelectual e pude perceber que as conexões realizadas com o fazer psicopedagógico e meu processo de construção identitária racial caminhariam de mãos e olhos "dados" (GUSMÃO, 2016).

O reconhecimento do sujeito pleno, que enuncia-se na interseção entre razão, relação e emoção foi fundamental para o olhar que me acompanhava desde que me atentei para o intercâmbio de individualidades presentes no território escolar.

> A psicopedagogia poderia considerar o ser humano como uma unidade de complexidades, ou seja, como um ser pluridimensional com uma dimensão racional, uma dimensão afetiva/desiderativa e uma dimensão relacional, esta última implicando um aspecto contextual e um aspecto interpessoal (ALMEIDA E SILVA, 2007, p. 27).

Identificar que o objetivo da Psicopedagogia não era, portanto, tratar dos entraves existentes na aprendizagem, mas, sim, enunciar a forma do sujeito ler e interpretar o mundo e estar nele, que possibilitam a construção do conhecimento e o desenvolvimento de autonomia, foi fundamental para meu processo pessoal psicopedagógico e, sobretudo, para a elaboração de meu olhar no campo da aprendizagem.

> A Psicopedagogia é o campo do conhecimento que tem por objeto o ser cognoscente e por objetivo fundamental facilitar a construção da autonomia do eu cognoscente, identificando e clarificando os obstáculos

que impedem que essa construção se faça (ALMEIDA E SILVA, 2007, p. 27).

Tive a oportunidade de tomar consciência do meu próprio processo de interpretar o mundo e estar nele. Detectei minhas barreiras e os processos que atravessavam minha autoria e autonomia. Experienciei intervenções psicopedagógicas potentes para o mergulho identitário e profissional.

Nesse sentido, o processo de escrita autoral, ao longo do tornar-me psicopedagoga, foi como uma intervenção psicopedagógica, à medida que as propostas da formação me colocaram em contato com os mecanismos que me faziam sair do lugar do não escrever e do não me expor. Dessa forma, pude acessar parte do trabalho da clínica psicopedagógica, espaço em que intervenções carregadas de intencionalidade buscam colocar o sujeito em contato com sua modalidade de aprendizagem, ressignificações e principalmente encontrar com suas potências.

Identifiquei que a negação e a resistência ao processo de escrita autoral era um impedimento relacionado a uma das barreiras sociais do racismo, algo que foi fundamental para esse processo de tornar-me psicopedagoga, que se deu também a partir de leituras fundamentais para a elaboração de recursos que me fizessem avançar. O olhar psicopedagógico, que ressalta a importância de desenvolver a crença em si, pode ser colocada em diálogo com a perspectiva de bell hooks, intelectual negra que pauta os impactos do racismo na enunciação das pessoas pretas.

A Psicopedagogia busca "devolver ao sujeito a dimensão e o seu poder (poder de escrever, poder saber, poder fazer) para que seu eu acredite em suas potencialidades" (FERNÁNDEZ, 2001, p. 181).

bell hooks (2019) fez da fala seu direito inato. Ela ressalta que não abrirá mão do direito à voz e à autoridade. Ela diz que "foi naquele mundo e por causa dele que chegou ao sonho da escrita, de escrever. Escrever foi uma maneira de capturar, agarrar a fala e mantê-la por perto" (HOOKS, 2019, p. 33). Para a autora, a escrita negra feminina é um mecanismo de estar no mundo com voz diferente do padrão exposto. Essa conectividade foi experimentada por mim como um "grande ebó".

Vivi, novamente, a sensação de me alimentar da comida de axé, como algo que nutre e expande. O contato com Edgard Morin, nesse contexto, propiciou um novo olhar acerca do que é conhecer e de quais são os caminhos dessa ação, passando pelo erro e pela racionalidade humana.

Fui atravessada pelo inesperado de Morin (2011), que, quando se manifesta, nos leva a rever nossas teorias e ideias. Percebi que viveria um processo de desconstrução e, ao mesmo tempo, de acomodação de questionamentos que circulavam em meu fazer. Notei que teria a possibilidade de nomear e refinar indagações práticas e teóricas.

O processo de tornar-me psicopedagoga não pode ser degustado sem identificar a experiência, na perspectiva de Larrosa (2002), como meio de formação. A compreensão de que viver uma experiência é entrar de fato em contato com tudo aquilo que a vivência propicia a você. Ser tocado, afetado, atravessado e, só então, modificado pela complexa ação de experienciar é fundamental para a vivência psicopedagógica.

> A experiência, a possibilidade de que algo nos aconteça ou nos toque, requer um gesto de interrupção, um gesto que é quase impossível nos tempos que correm: requer parar para pensar, parar para olhar, parar para escutar, pensar mais devagar, olhar mais devagar, e escutar mais devagar; parar para sentir, sentir mais devagar, demorar-se nos detalhes, suspender a opinião, suspender o juízo, suspender a vontade, suspender o automatismo da ação, cultivar a atenção e a delicadeza, abrir os olhos e os ouvidos, falar sobre o que nos acontece, aprender a lentidão, escutar aos outros, cultivar a arte do encontro, calar muito, ter paciência e dar-se tempo e espaço (LARROSA, 2002, p. 24).

Vou narrar outras experiências que vivi na Psicopedagogia e que me aproximaram da "pedagogia da alma", defendida por Almeida e Silva (2015). Para ela, a Psicopedagogia é: "Unidade de multiplicidades contraditórias que desperta o pensamento, é um ânimo que nos impele a pensar, criar, viver. Ânimo entendido como espírito, como alma. O ânimo precede o pensamento" (2015, p. 3).

E, para isso, partilho, daqui em diante, os grandes ebós, que me fizeram expandir. Que me possibilitaram reexistir no meu trilhar educacional e, principalmente, forjaram minha concepção psicopedagógica preta.

> O que torna a Psicopedagogia revolucionária e o que mantém o frescor da sua teoria e da sua prática são as estruturas acima relacionadas na dinâmica da contradição. Há nessas contradições, talvez, um projeto profético e por isso revolucionário ainda não desvelado de uma nova arquitetura educacional. O novo se daria na mudança de um foco no ensino-aprendizagem para focar o sujeito que pensa, cria e imagina — o ser cognoscente da Psicopedagogia. Embora a questão se desloque do processo para o sujeito, não se trata de um retorno à primazia da razão sobre as outras dimen-

> sões. O desafio é refundar a Psicopedagogia, cujo objeto é o ser humano com toda a sua complexidade, sobre uma base teórica mais sólida, sob uma perspectiva alargada (ALMEIDA E SILVA, 2015, p. 3).

Depois dessa revirada epistemológica, outro ebó foi o mergulho nas reflexões a respeito da dimensão desiderativa, que identifica, no ser cognoscente, no sujeito em processo de construção de conhecimento, a manifestação do inconsciente e do desejo como fatores determinantes. Esse conhecimento foi transformador para minhas observações e indagações acerca das diferentes formas de enunciar conhecimentos que convivem em um mesmo ambiente educacional, como na escola, por exemplo.

> O ser cognoscente não é o senhor absoluto dos seus próprios pensamentos, porque o inconsciente pode existir sem a consciência posto que o inconsciente é a essência da vida mental, levando o homem pluridimensional cognoscente que consideramos objeto da psicopedagogia a ter dois sistemas de funcionamento: um sistema pré-consciente/conscientelógico, intelectivo, funcionando em processo secundário e regido pelo princípio da

> realidade, e outro sistema inconsciente semiótico ou simbólico, desiderativo, funcionando em processo primário e regido pelo do prazer, ou princípio do desejo (ALMEIDA E SILVA, 2007, p. 41).

No momento de mergulho nessa dimensão, pude estruturar elementos fundamentais de minha concepção sobre o que influencia diretamente o processo de construção de conhecimento do sujeito. A afirmativa de Almeida e Silva (2010), de que o ser cognoscente é determinado por um saber que ele não conhece e do qual não tem consciência, forneceu reflexões potentes tanto para a compreensão de meu processo de escrita, já explicitado aqui, como para ponderações a respeito da construção da autoestima negra e do processo de aprendizagem das pessoas de pele preta.

É fundamental para a autoestima que o sujeito se veja como objeto de amor, assim como é indispensável para o processo de construção do conhecimento que o sujeito se reconheça como ser de desejo para o desenvolvimento de sua autoria.

As contribuições da Psicologia Preta vêm de um ramo da psicologia que surgiu nos Estados Unidos, durante os anos 1960, buscando atender às demandas das subjetividades negras e promover a saúde mental em um contexto de muita violência.

Neusa Santos Souza (1983), Wade Nobles (1984) e Frantz Fanon (1952) nutriram as concepções sobre a dimensão desiderativa e, mais ainda, deram sabor e aroma ao meu grande alimento de axé. Essas figuras foram a pimenta e o dendê do prato!

Pelos olhares desses autores, identifiquei o que meu código estético representa em territórios de aprendizagem, além de sustentar meu olhar para a concepção de um fazer psicopedagógico racializado, que leva em consideração as nuances da formação psíquica e os impactos na forma de aprender e se desenvolver das pessoas negras.

Lázaro Ramos, ator, diretor e escritor, que também escreve livros infantis, se inspira na filha em *Caderno sem rimas da Maria*, ilustrado por Mauricio Negro, e traz à tona, com muito afeto, a subjetividade presente nas narrativas que envolvem o cabelo crespo.

> Meu cabelo é bem crespinho, uso black e uso cacho. Às vezes, meu pai faz carinho e a mão fica presa, parecendo um embaraço. Mas não é. É um convite pra fazer um denguidacho. Denguidacho é um carinho mais demorado na cabeça, nos meus cachos (RAMOS, 2018).

Acredito que a experiência de transformação pessoal e revolucionária, que passou por minha estética capilar, é um exemplo do quanto reconhecer essa dimensão desiderativa racializada é fundamental para a leitura que realizamos da forma de se enunciar dos aprendentes pretos.

Desde que me vi internamente reflexiva e vivendo um processo de reconstrução identitária, notei que meu cabelo externava minhas etapas. Comecei a questionar meu relaxamento de cachos e todo o tratamento realizado. De repente, eu não o queria tão relaxado, buscava volume, mas não me imaginava sem aquele tratamento químico que durante muito tempo me deixava segura. Foi um longo processo: corta para ver se encontra o que deseja, pinta, aumenta o intervalo de relaxante, busca produtos, faz leituras sobre transição capilar... Até chegar a uma decisão: Não vou mais relaxar! Vale ressaltar que o problema não está na escolha do relaxamento capilar, mas, nesse caso, nas nuances presentes na decisão de retirar volume e descaracterizar um traço.

Acontece que essa tomada de decisão e demais posicionamentos aplicados sobre minha estética não foram coincidência. Eu me entendia como pessoa negra, começava a tomar consciência de discursos mal resolvidos do passado, inclusive os do ambiente familiar, repleto de afeto, mas atravessado pela estrutura racista presente nas diferentes instituições sociais.

Essa tomada de consciência foi potente e fortalecedora em muitos aspectos, das relações com pares afetivos, homens negros que experimentavam processos de construção identitárias específicos do ser homem preto, até minha percepção a respeito dos laços de amizade e parceria. Minha identificação com as atrizes negras, na fase de adolescência, que se expressava no desejo de copiar penteado, esmalte etc. Meu corpo é um ato político onde quer que eu vá! E, no meu caso, o cabelo foi "termômetro" e recurso de identificação racial.

A partir daí, o fator "cabelo crespo" sempre esteve em meu radar. Atualmente, o número de negros que assume seu crespo natural ou usa dreads e tranças cresceu muito. Cabelo também é lugar de encontro e poder.

Historicamente, o cabelo foi o traço estético negro que mais sofreu apagamento. Aniquilar o crespo — o "duro" caminho para ocupar o padrão do belo! Esse mecanismo de destruir a identidade negra foi por anos alimentado pela indústria de produtos de beleza capilar, que lucrou muito com a criação de inúmeros produtos que dariam o tão sonhado balanço e tirariam o volume.

Com o progresso das discussões raciais, a indústria também entendeu a potência do público negro consumidor e foi fundamental ouvir o que esse público tinha a dizer sobre si.

Mas o imaginário social construído sobre pessoas negras ainda impossibilita que muitos jovens e crianças se vejam sujeitos possíveis de sonhar e de se projetar positivamente no mundo. Neusa Santos Souza (1983) diz que "saber-se negra é viver a experiência de ter sido massacrada em sua identidade, confundida em suas expectativas, submetida a exigências, compelida a expectativas alienadas".

E a minha questão está no efeito disso na vida das pessoas. Meu olhar sobre a relação cabelo *versus* autoestima vem me alimentando e me fazendo pensar o quanto os ambientes de aprendizagem precisam atinar para essa questão. A construção da estima negra passa também pelo olhar sobre nosso cabelo!

A comprovação disso está nas numerosas obras literárias que tratam desse tema. A animação vencedora do Oscar em 2020, *Hair love*, mostra como o olhar sobre o cabelo negro é importante para nosso processo de transformação social e afetivo.

Essa evidência não é uma identificação contemporânea. O bloco afro Ilê Aiyê, por exemplo, fundado em 1974, carrega esse olhar como marca identitária. "Tanto negão, quanto negona, pra sair no Ilê, tinha que ter o cabelo de preto." Essas são palavras de Vovô do Ilê, fundador do bloco. Naquele período, os homens usavam muito rasta e black power, por influência dos negros norte-americanos.

> Somo crioulo doido, somos bem legal
> Temos cabelo duro, somos black power
> Somo crioulo doido, somos bem legal
> Temos cabelo duro, somos black power
> Que bloco é esse?
> ***(Composição de Paulinho Camafeu)***

O cabelo é alvo de ofensa racial bastante utilizada: "cabelo duro", "seu cabelo não balança", "cabelo de Bombril", "fulano(a) tem cabelo de nego". Dificilmente, o cabelo crespo é o acarinhado por adultos ou o escolhido como penteado.

Existem, ainda, algumas polêmicas acerca de como se referir ao cabelo crespo: pode colocar a mão ou não pode? Como faz? Como cuida?

Além do despreparo para o cuidado com nossos cabelos, diversas escolas e creches que recebem crianças negras não possuem, no momento do banho, por exemplo, pente apropriado e produtos de cuidado específicos. Por essa razão, é urgente trazer para os territórios de aprendizagem, como ferramenta educacional antirracista, propostas que viabilizem o contato afetuoso com o cabelo crespo, com nosso corpo e mente, com nossos cuidados específicos, para empoderar crianças negras e fortalecer sua autoestima.

Minha primeira grande conversa com Vovô do Ilê, ouro baiano! Foram horas de acesso às minhas histórias, pois quando ele fala do bloco afro Ilê Ayê, fala de mim. São narrativas coletivas, da população negra.

Dando continuidade aos ebós vivenciados no meu tornar-me psicopedagoga, apresento o grande reencontro com a obra e perspectiva de Jean Piaget. Foi mais uma expansão de caminhos!

Desde que adentrei a estrada da educação, as provocações piagetianas sobre como aumentamos nosso conhecimento me mobilizam profundamente, por considerar as experiências e as interações bases para o desenvolvimento. A obra desse biólogo, que pauta as fases de desenvolvimento, também possibilitou uma importantíssima reflexão a respeito do que compreendo como objetivo da educação escolar: a construção gradativa da autonomia.

O olhar psicopedagógico vai apontar que os esquemas cognitivos de aprendizagem são constituídos por etapas interligadas, como redes que ocorrem para que se dê a construção do conhecimento.

> A dimensão racional é constitutiva no processo de construção do conhecimento, na medida em que o ser cognoscente, através de sua ação sobre o meio, constrói suas próprias estruturas no prolongamento desta ação interiorizada. Diz Piaget: "a ação precede o conhecimento e este consiste numa organização, sempre mais rica e coerente, das opera-

ções que prolongam a ação no sujeito" (ALMEIDA E SILVA, 2007, p. 36-38).

A compreensão das fases piagetianas, sensório-motora (do nascimento até cerca de 2 anos), pré-operacional (de 2 a 7 anos), estágio operatório concreto (de 7 a 11 anos) e estágio operacional formal (11 anos ou mais) possibilitam entender os atravessamentos e as possibilidades do processo de construção do conhecimento.

As perspectivas piagetianas propõem que os problemas para ampliar conhecimentos, a construção constante e permanente no decorrer da vida e o erro são constituintes do processo de construção de conhecimento. Essas ideias abraçam meus transes educacionais.

Outra grande ampliação de olhar e caminhos foi a imersão na dimensão relacional, em que reconhecer a potência do desenvolvimento do vínculo com o conhecimento e com pares educativos foi essencial para minhas concepções. Elemento basal da psicologia social, o vínculo corresponde à dialética entre sujeito e objeto. As intervenções são mútuas e, de alguma forma, simultâneas. Esse vínculo se dá como em um tripé: apesar da relação de dualidade e reciprocidade, sempre ocorre a influência de um terceiro que mobiliza ambos os envolvidos.

A compreensão da dimensão contextual do conhecimento foi um grande encontro, um cruzamento de narrativas, um ebó na encruzilhada, já que é um começo e um fim, é ponto de confluência ancestral. Entender como isso influencia a enunciação do sujeito e sua forma de leitura de mundo foi vigoroso para a concepção psicopedagógica preta que eu estava construindo.

O aprofundamento do aspecto da relação com o meio propiciou uma reflexão especial sobre a contribuição psicopedagógica para o debate racial na infância. As pessoas, de fato, não nascem racistas. Mas, rapidamente, a sociedade vai, com a reprodução de determinados padrões, fornecendo subsídios para o desenvolvimento de um olhar racista, antinegro. E, para as pessoas negras, vai se instalando uma identidade enfraquecida, que acaba resultando nos processos de embranquecimento e de distanciamento de si e das narrativas constituintes de nossa existência.

Uma criança branca cresce e, em seu desenvolvimento, é cercada de representações que fomentam a construção de sua autoestima, de um lado, e de conceitos discriminatórios, de outro. As leituras, os brinquedos, os lugares de inspiração estão diretamente relacionados aos referenciais brancos. Aos poucos, isso acaba criando uma mentalidade social em que as pessoas brancas são o padrão de existência, e as pessoas de pele negra coupam posições e lugares de submissão ou de não lugar, de subalternidade e, principalmente, de rejeição social.

Nesse processo de construção de referencial e leitura do mundo, crianças negras vivem outra experiência em seu imaginário. Elas começam a perceber que seus pares e seus semelhantes não ocupam determinados lugares, representam tudo aquilo que a sociedade rejeita e não encontram representatividade para projeções de seus sonhos.

Ao estabelecer esse olhar sobre si mesmas, elas desenvolvem relações conflituosas com sua negritude e, portanto, com seu percurso de construção identitária e ancestralidade. E, ao longo de seu crescimento, muitas vezes escolhem o apagamento de si, um movimento doloroso e cruel, de negação da negritude.

Ao considerar os aspectos da dimensão relacional, compreendendo o contexto em que o aprendente está inserido e seu lugar social, a Psicopedagogia oferece recursos para o debate sobre o impacto do racismo estrutural na aprendizagem. Almeida e Silva (2007) aponta o ser cognoscente como um ser social determinado, também, pelos elementos de sua vida em sociedade. Dessa forma, o entendimento de certos mecanismos existentes na sociedade, frutos do racismo estrutural, ampliou minha reflexão psicopedagógica.

Silvio Almeida explicita o que quero dizer:

> O racismo é uma decorrência da própria estrutura social, ou seja, do

> modo "normal" com que se constituem as relações políticas, econômicas, jurídicas e até familiares, não sendo uma patologia social e nem um desarranjo institucional. O racismo é estrutural. (ALMEIDA, 2018, p. 38).

A experiência da elaboração de um diagnóstico psicopedagógico me remeteu ao conceito do pensar-sentir-fazer de Larrosa. O atendimento clínico me fez revisitar as reflexões teóricas da Psicopedagogia e as articulações a respeito das relações raciais, e o entrelace dessas perspectivas possibilitou um levantamento de hipóteses amplo e cuidadoso.

Minha experiência clínica foi uma flecha certeira de Oxóssi, orixá caçador de uma flecha só, o senhor do silêncio, aquele que está sempre alerta, com olhos vivos para a ação assertiva.

Recebi Ayana, de 8 anos, negra. Com meu olhar atento, notei que ela já havia vivenciado intervenções químicas de alisamentos capilares. Durante o processo de diagnóstico, na Entrevista Operativa Centrada na Aprendizagem (Eoca) e nas provas Operatória, Pedagógica e Projetiva, a menina levou para o encontro alguns elementos que me chamaram a atenção, falas como: "meu cabelo é meio estranho, né", "hoje minha mãe prendeu bem meu cabelo". Fora a escolha do lápis cor-de-rosa para pintar a pele dos personagens de seu desenho.

Observando esses dados, escolhi como intervenção para a prova pedagógica a leitura de *Os mil cabelos de Ritinha*, de Paloma Monteiro e Daniel Gnattali (Semente Editorial) para analisar questões de leitura, interpretação de texto e desafios matemáticos.

Ayana gostou muito da história, e eu lhe contei que havia escolhido pensando nela. Rapidamente, com sorriso no rosto, ela me disse que era por conta do penteado de abacaxi, que aparece no livro. Nessa sessão, a menina mexeu em seus fios, soltou e até balançou os cabelos. Axé!

A elaboração do diagnóstico clínico, como escola psicopedagógica, foi território de aprofundamento das transformações de meu olhar. A experiência de entrar em contato com a questão capilar de Ayana retomou aspectos da dimensão relacional, a problemática racial ali expressada carregava muito mais do que "queixas" individualizadas. Havia uma demanda coletiva do grupo social ao qual ela pertencia e eu também, tendo em vista que somos corpos negros em diáspora.

Naquele momento, meu corpo expressou porosidade com a memória coletiva negra. Tal encontro não me distanciou do meu lugar de coordenadora de atendimento, mas estabeleceu uma conexão potente e afetuosa, importante para

Essa ilustração de Daniel Gnattali para o livro Os mil cabelos de Ritinha, *de Paloma Monteiro, faz parte do acervo afetivo dos livros infantis que carrego.*

a observação, parte importante do fazer clínico psicopedagógico.

bell hooks, no texto "Vivendo de amor", fala a respeito do amor como caminho de cura para os impactos do racismo. Ela diz: "O amor cura. Nossa recuperação está no ato e na arte de amar". Ou seja, o amor é pedagógico e fundamental.

As etapas do diagnóstico clínico psicopedagógico também expressaram conceitos fundamentais de Madalena Freire a respeito do olhar observador e da escuta atenta. Os apontamentos de Alicia Fernández sobre o saber olhar para além do que se percebe estiveram presentes o tempo todo nesse processo de investigação para a construção de diagnóstico e principalmente para a concepção psicopedagógica que nascia de minhas articulações.

Essa experiência tão marcante do tornar-me psicopedagoga deixou reflexões potentes sobre o fazer clínico. Como a importância da qualidade das intervenções, o lugar da escuta sem ansiedade do profissional, a multiplicidade de caminhos que existe na clínica, o aprofundamento nas modalidades de aprendizagem e a perspectiva racial – aspectos absolutamente importantes para estruturar um diagnóstico completo, reparador, capaz de reconectar o sujeito com espelho.

Esse conjunto de experiências que caracterizam o meu "tornar-me psicopedagoga" alimentou meu *orí* para seu caminho de expansão e renascimento. Eu, Clarissa Brito, negra, mulher educadora atuante de forma consciente no combate e prevenção ao racismo, ao me nutrir desse alimento sagrado epistemológico, desconstruindo, articulando, concordando, discordando e, sobretudo me conectando profundamente com o que a Ialorixá Nivia Luz, chama de fio de vida, um ancestral. Tornei-me psicopedagoga antirracista com concepções significativas a respeito da aprendizagem preta.

Angela Esteves (mãe da autora)

Meu rabo abacaxi! O cuidado capilar desde minha infância foi uma questão, vi meus familiares envolvidos na aprendizagem do cuidado com meus cachos. Apesar do desafio, tratamento, escolhas e penteados sempre foram momentos intensos de amor.

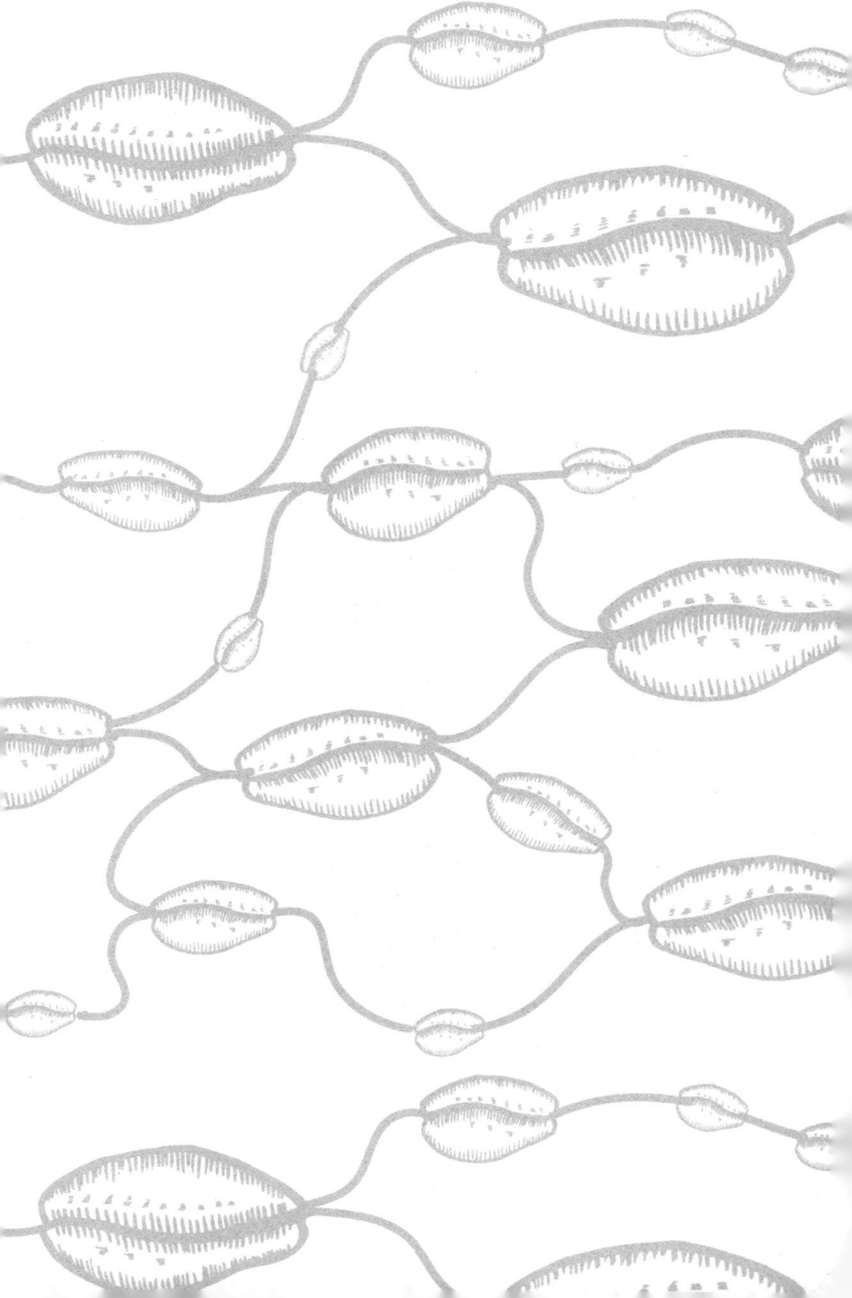

CAPÍTULO 3
POR UM ENEGRECER PSICOPEDAGÓGICO: CAMINHOS PARA A APRENDIZAGEM E A AUTORIA DE PESSOAS NEGRAS

> *O passado reconstituído não é refúgio, mas sim uma fonte, um manancial de razões para lutar. A memória deixa de ter um caráter de restauração e passa a ser memória geradora do futuro. [...] A nostalgia revela sua outra face: a crítica da sociedade atual e o desejo de que o presente e o futuro nos devolvam alguma coisa preciosa que foi perdida.*
>
> **Ecleia Bosi**

O intenso processo vivido até aqui me deixou em contato com a Terra habitada (PORTO; GUSMÃO, 2018a), o momento de pensar o que essa caminhada me abre de possibilidades, onde e como desejo encarnar esta nova identidade e este conhecimento. Minha resposta ao convite anteriormente aceito foi uma bênção ancestral e será um grande e poderoso ebó psicopedagógico.

Apropriada de quem sou, estou forjando um olhar psicopedagógico preto, capaz de ressignificar processos de aprendizagens negros, desenvolvendo a autoestima negra e possibilitando que todos os sujeitos em diáspora se vejam possíveis.

No compartilhamento do olhar psicopedagógico emancipatório e da identidade encarnada, Clarissa Brito, negra, mulher, psicopedagoga e educadora antirracista emerge na reflexão sobre a suposta neutralidade epistemológica. Foi indispensável e substancial o reconhecimento de outros saberes e autores na construção dessa abordagem psicopedagógica.

Grada Kilomba (2016), em palestra intitulada "Descolonizando o conhecimento", descreve a importância de romper a hierarquia do discurso, que aqui vou chamar de Enegrecer Psicopedagógico, por meio do atravessamento de autores e autoras pretos que contribuíram para as aspirações sobre o sujeito em processo de aprendizagem e as possíveis intervenções para potencializar o desenvolvimento do ser cognoscente, para análise dos sintomas enunciados e do planejamento das ações preventivas nos mais diferentes ambientes.

Algo passível de se tornar conhecimento torna-se então toda epistemologia que reflete os interesses políticos específicos de uma sociedade branca colonial e patriarcal. Por favor, deixem-me lembrar-lhes o que significa o termo epistemologia. O termo é composto pela palavra grega *episteme*, que significa conhecimento, e *logos*, que significa ciência. Epistemologia é, então, a ciência da aquisição de conhecimento, que determina: 1. (os temas) quais temas ou tópicos merecem atenção e quais questões são dignas de serem feitas com o intuito de produzir conhecimento verdadeiro. 2. (os paradigmas) quais narrativas e interpretações podem ser usadas para explicar um fenômeno, isto é, a partir de qual perspectiva o conhecimento verdadeiro pode ser produzido.
3. (os métodos) e quais maneiras e formatos podem ser usados para a produção de conhecimento confiável e verdadeiro. Epistemologia, como

> eu já havia dito, define não somente como, mas também quem produz conhecimento verdadeiro e em quem acreditamos (KILOMBA, 2016, p. 4-5).

A natureza multidisciplinar e convergente da Psicopedagogia é um convite para a confluência de olhares e narrativas. A psicologia preta e o pensamento negro de diversos autores estabeleceram um diálogo potente, disruptivo e inovador. A Psicopedagogia estabelece profunda conexão com as demandas de reparação racial, ao reconhecer a complexidade do processo de construção do conhecimento, levando em conta as articulações das dimensões lógicas (racional), desiderativa (afetiva) e relacional.

A perspectiva convergente psicopedagógica apontada por Jorge Visca, "pai da Psicopedagogia", além de considerar as estruturas diversas que interferem em nosso processo de aprendizagem, explicitamente relaciona a experiência de aprender a felicidade. Assim, reconhece a liberdade, a construção identitária e a vida plena como caminhos de desenvolvimento.

Os impactos da herança escravocrata de nossa sociedade estabelecem paradigmas pontuais para a discussão acerca da aprendizagem. Um breve mergulho histórico nas questões da população negra revela a importância dessa pauta.

Os processos de violência que marcaram e ainda marcam o nascimento de pessoas negras, as condições de afetividade negra, as concepções de humanidade (preta), políticas de embranquecimento e a política eugenista influenciam diretamente o desenvolvimento de pessoas negras.

A concepção de que o olhar psicopedagógico poderia ser uma base para o desenvolvimento da mentalidade antirracista na educação chegou rapidamente às minhas reflexões, além de sua concepção originária de atender ao fracasso escolar, que no Brasil tem um resultado numérico racializado. Nesse contexto, a inovação é conceber um sujeito aprendente plural e complexo, que localiza a negritude como parte fundamental de sua existência.

Os teóricos postos no banquete do curso começaram a conversar com grandes vozes encaminhadas por nossos ancestrais, as autoras e autores negros, que pautavam questões do impacto do racismo em vidas negras, assim como elementos cruciais para a identidade da população preta.

A obra *A criação original, a teoria da mente segundo Freud*, de Francisco Daudt, foi minha primeira mistura de temperos. Ao tratar do nascimento do aparelho psíquico, Daudt (2017) salienta a importância da intervenção na cultura para uma vida melhor, pois a capacidade de interferir na cultura é muito maior do que na genética.

E esse foi o ponto de interlocução com os apontamentos de Djamila Ribeiro (2017) quanto à urgência de uma vida melhor, da quebra de nosso sistema vigente que inviabiliza narrativas negras.

> Numa sociedade como a brasileira, de herança escravocrata, pessoas negras vão experienciar racismo do lugar de quem é objeto dessa opressão, do lugar que restringe oportunidades por conta desse sistema de opressão. Logo, ambos os grupos podem e devem discutir essas questões, mas falarão de lugares distintos. Estamos dizendo, principalmente, que queremos e reivindicamos que a história sobre a escravidão no Brasil seja contada por nossas perspectivas também e não somente pela perspectiva de quem venceu, para parafrasear Walter Benjamim, em *Teses sobre o conceito de histórias* (RIBEIRO, 2017, p. 86).

Esse encontro que reverenciava a necessidade de uma intervenção social para o desenvolvimento dos sujeitos foi ponto de partida para muitos encontros que geraram meus grandes pratos de axé.

Esses encontros potentes levaram o curso de meu rio para a concepção do fazer pedagógico e psicopedagógico, o que chamo de Omi, que quer dizer água em iorubá. Nessa perspectiva, a presença de Oxum, como referencial ancestral do elemento água, reflete a ideia de uma educação e de uma aprendizagem que expandem, desviam de obstáculos, limpam, ocupam e purificam.

O conceito de educação antirracista tem como grande objetivo a construção da estima negra, o desenvolvimento de afeto aos conhecimentos, corpos e às manifestações pretas, ou seja, apreço, reconhecimento e respeito à negritude. O fazer pedagógico e psicopedagógico se dá em quatro pilares que, juntos, interligados e conectados, possibilitam o fluir das águas, o ressignificar do olhar sobre África, o saber ancestral, a construção da identidade afro-brasileira e a representatividade racial.

Ressignificar o olhar sobre África é urgente para romper o estereótipo colonizador. Chimamanda Ngozi Adichie (2009) identifica o grande prejuízo do rótulo colonial sobre uma sociedade: "A história sozinha cria estereótipos, e o problema com estereótipos não é que eles não são verdadeiros, mas que eles são incompletos. Eles fazem uma história se tornar a única história". O continente africano é o berço da humanidade, o território da potência científica e tecnológica do mundo, nosso lugar originário, que nos concebe como divindade na existência em coletividade. Enxergar o continente africano como ele é realmente é edificador.

Os saberes ancestrais possibilitam a conectividade com tudo aquilo que narra sua existência, que faz o indivíduo existir e estar no mundo. O desenvolvimento de um olhar positivo sobre sua própria presença no mundo faz você conhecer o sentimento de reconhecer-se como sujeito possível de sonhar e projetar-se. Encontramos na mitologia dos orixás, nas pedagogias de terreiros, na complexidade da culinária africana e nos elementos de religiosidade de matriz africana ferramentas para a nutrição de nosso fio vital.

A identidade afro-brasileira é parte fundamental da transformação social, da conexão com as narrativas sociais, políticas e econômicas do povo negro e todos os elementos de nossa afro-brasilidade viabilizam uma releitura da imagem negra e de seu papel na sociedade. E é no conhecimento dos movimentos de resistência, nas lutas abolicionistas de personalidades negras, que essa identidade pode ser estabelecida.

O pilar da representatividade está fortemente relacionado à questão da autoestima, como a ancestralidade. É fundamental que o sujeito se veja objeto de amor para que desenvolva o afeto sobre si e sua história, para que se veja capaz de autoria para desenvolver aprendizagens. A representatividade negra é essencial nesse processo, e reconhecer-se na literatura, na arte, no brincar e nos espaços de poder é fundamental para amar-se, para desejar conhecer e atuar sobre os estímulos recebidos. É necessário enegrecer o simbólico na infância!

A concepção Omi compõe o olhar psicopedagógico preto que, de forma consciente, atua nos ajustes emocionais, cognitivos e sociais que as questões de raça provocam na enunciação do sujeito em processo de aprendizagem.

Mergulhar nas nuances do complexo ato de aprender é um caminho libertador e potencializador para uma vida autônoma. A possibilidade de compreender sua forma de interpretar o mundo e limpar impurezas que atravessam esse processo é emancipatório na caminhada de nós negros. Eis que chego à grande encruzilhada, onde tudo começa e tudo termina; com a cabeça feita e orí em expansão, entrego essa concepção psicopedagógica preta. Uma perspectiva enegrecida do sujeito em processo de construção do conhecimento e dos elementos atuantes em seu desenvolvimento e aprendizagem.

Nesse olhar, cabe ao psicopedagogo aguçar suas escutas no processo clínico. A escuta da individualização e a escuta da história coletiva do povo ao qual o ser cognoscente pertence, levando em consideração que carregar no corpo o que a sociedade vincula à memória de anos de escravização fala de uma experiência e de uma vivência de amor específica. O resgate psicopedagógico também está para reconstrução dessa memória, corpos negros representam a origem da vida e do conhecimento.

Na psicopedagogia preta, o terapeuta da aprendizagem tem o papel de apoiar o sujeito no resgate, ao que Nobles (2009) chamou de pulsão palmarina, uma possibilidade de construção identitária negra positiva, que na conceituação refere-se a Zumbi dos Palmares. Nesse contexto, a pulsão palmarina trata de despertar o desejo por liberdade, autoria e aprendizagem.

> Nós que nos dedicamos à saúde mental do povo africano não devemos enxergar como mentalmente saudável o desejo de Zumbi de ser africano livre? Poderíamos até classificar esse desejo como pulsão palmarina e afirmar essa necessidade palmarina (o desejo de ser africano livre) como tão irresistível quanto o desejo de ser reconhecido, de ter valor, ou a necessidade de comida e água (NOBLES, 2009, p. 296)

As intervenções pela perspectiva do Enegrecer Psicopedagógico buscam reconectar o sujeito com espelho; as provas projetivas, por exemplo, são fundamentais nesse processo, já que evidenciam o vínculo do sujeito com ele mesmo.

Complementando a concepção desta psicopedagogia preta, é fundamental enegrecer os símbolos que, em contato direto com sujeito, visam desenvolver e desvendar sua modalidade de aprendizagem, viabilizar transformações em seus esquemas e expandir sua forma de construção do conhecimento.

É fundamental que os elementos manuseados nas intervenções psicopedagógicas, como livros, jogos e brinquedos, sejam recursos de conexão com a ancestralidade, a negritude e a memória.

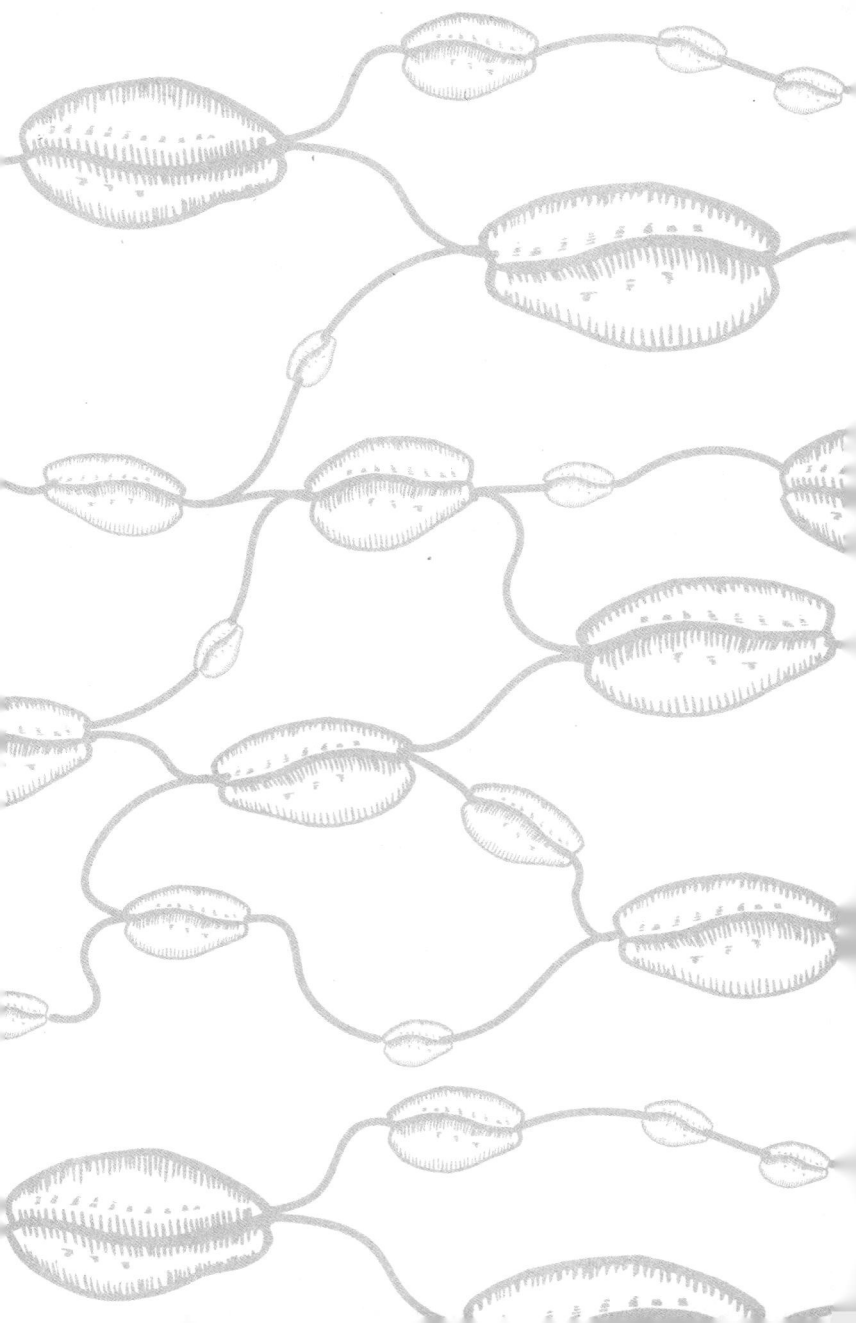

Capítulo 4
Considerações finais: a cabeça em expansão

"Egba Egba Enigba Lati Bere"
Òsóosí
(Qualquer tempo é tempo de recomeçar)

Os deslocamentos fluidos que a psicopedagogia apresentava como convite de imersão, mergulho na memória dos transes pedagógicos, reflexões sobre meu lugar de educadora, refutação das certezas e fortalecimento identitário racial eram movimentos de serendipidade. Ou seja, um encontro que acontece quando estamos em busca de outro, mas que só vivemos a felicidade da descoberta se tivermos parte disso em nós.

O encontro com a psicopedagogia, fruto da serendipidade, foi como a experiência de um *Borí*, ritual de negros em diáspora, que alimenta a cabeça, harmoniza, traz alegria, esperança, ameniza dores e prepara seu nascimento no *Orixá* (Ori: cabeça, Xá: expansão). Tornar-me psicopedagoga é estar com a cabeça em constante movimento de expansão individual e principalmente coletiva, já que o pensar e o produzir negro é resistência, vida plena e reparação para os nossos.

Forjar uma abordagem psicopedagógica preta é expressar a urgência de colocarmos em prática recursos que viabilizem a existência plena das pessoas negras, como seres fortalecidos para a projeção de seus sonhos, conscientes de suas potências, conhecedores de suas histórias e passíveis de vivenciar o amor que potencializa e transforma.

O babalorixá Rodney William constantemente nos lembra de nossa obrigação ancestral de ser feliz. Reconhecer nas perspectivas psicopedagógicas caminhos para a reconstrução da infância preta é felicidade, conquista e luta.

É chegada a hora de um ritual de renovação e renascimento no campo que pensa a construção de conhecimento e aprendizagem. Só assim daremos conta de erguer uma sociedade antirracista, capaz de potencializar a existência de todos. Negros vivendo em constante expansão!

Vamos juntos nessa trilha?

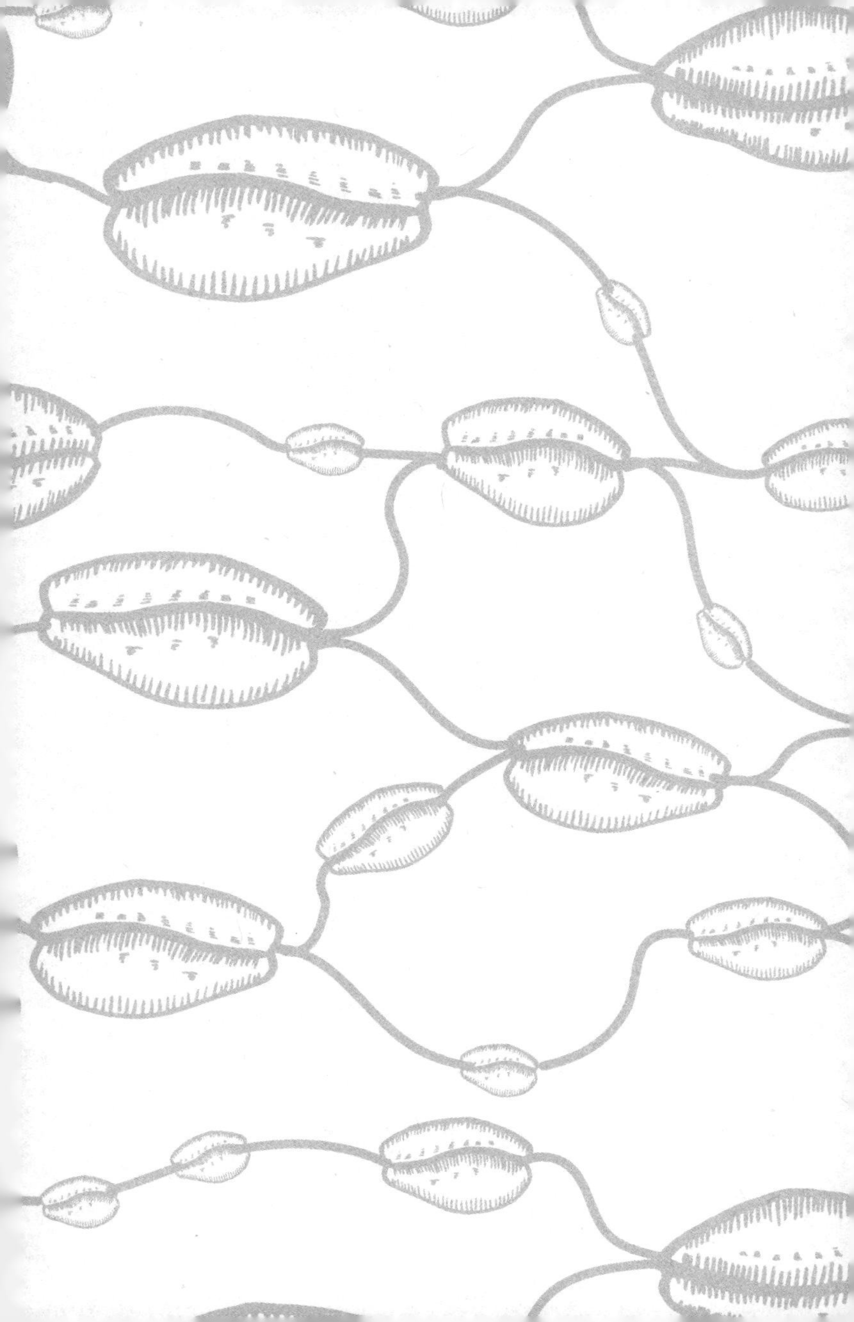

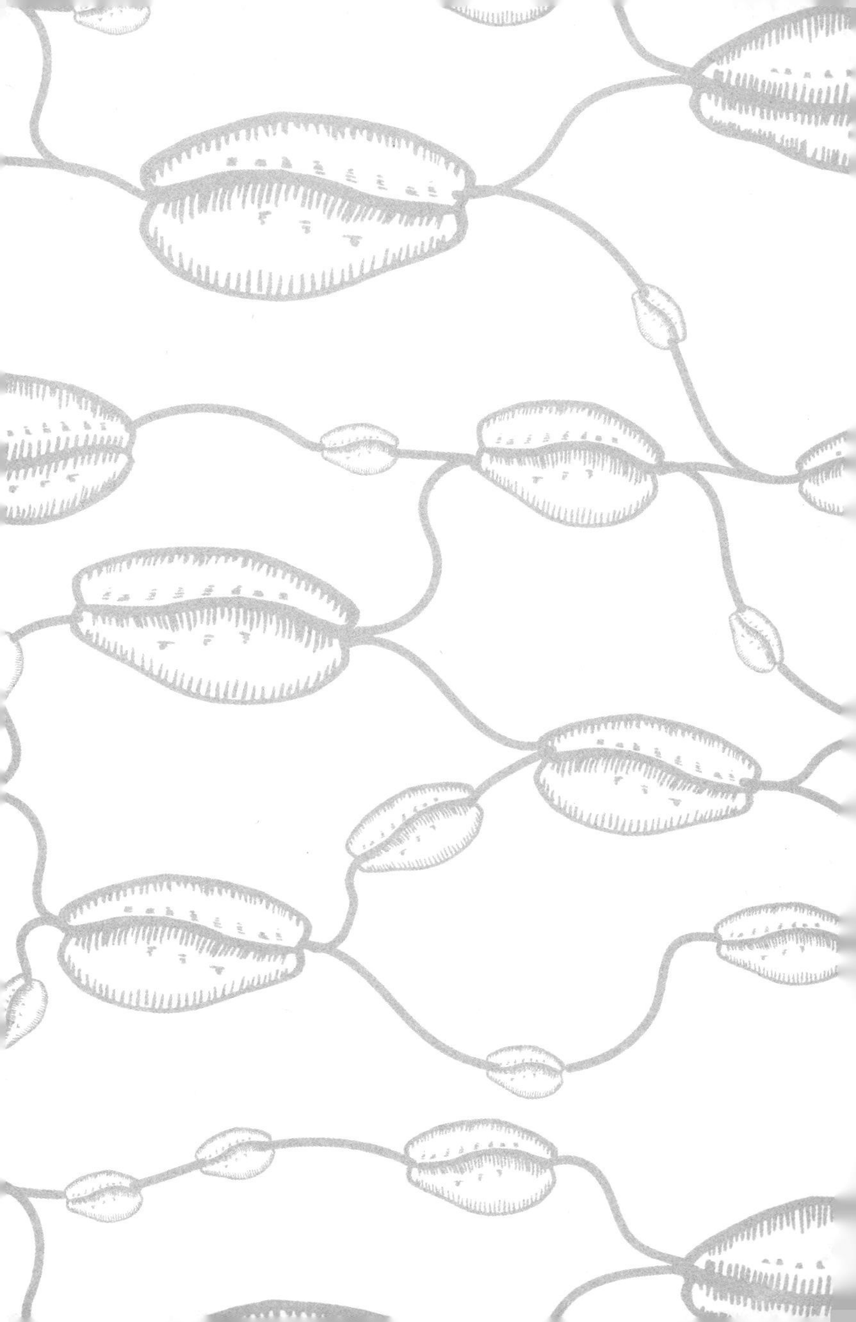

REFERÊNCIAS BIBLIOGRÁFICAS

ALMEIDA E SILVA, Maria Cecilia. Por uma pedagogia da alma (entrevista). In: **Ao Largo,** Rio de Janeiro, 2015-2, ed.1, p. 1-3, out. 2015. Disponível em: https://tinyurl.com/yyrzatpb. Acesso em: 24 jun. 2019.

ALMEIDA E SILVA, Maria Cecilia. **Psicopedagogia:** a busca de uma fundamentação teórica. São Paulo: Paz e Terra, 2010.

ALMEIDA E SILVA, Maria Cecília. A inspiração. In: GENESCÁ, Ana; CID, Lucia (Orgs.). **Pró-Saber:** imaginação e conhecimento. Rio de Janeiro: Edições Pró-Saber, 2013.

ALMEIDA E SILVA, Maria Cecília. A pedagogia da alma. In: TEIXEIRA, M. Luiza e VASCONCELLOS, Ana Celina (Org.). **O pensar e o fazer psicopedagógicos:** a experiência do NOAP. Rio de Janeiro: Editora Lidador, 2007.

ALMEIDA, Silvio Luiz de. **O que é racismo estrutural?** Belo Horizonte: Letramento, 2018.

BENJAMIN, Walter. **Rua de Mão Única.** Obras Escolhidas II. São Paulo: Brasiliense, 1995.

BOSI, Eclea. Memória: enraizar-se é um direito fundamental do ser humano (entrevista a Mozahir Salomão

BRUCK). In: Dispositiva, Belo Horizonte, v. 1, n. 2, p. 196-199, nov. 2012.

DAUDT, Francisco. **A criação original**: a teoria da mente segundo Freud. Rio de Janeiro: Sete Letras, 2017.

FANON, Franz. **Pele negra, máscaras brancas.** Bahia: Editora da Universidade Federal da Bahia/ CEAO — Centro de Estudos Afro-Orientais, 1952.

FERNÁNDEZ, Alicia. **Os idiomas do aprendente**: análise das modalidades ensinantes com famílias, escolas e meios de comunicação. Porto Alegre: Artes Médicas, 2001.

FREIRE, Madalena. **Educador: educa a dor.** São Paulo: Paz e Terra, 2008.

GENESCÁ, Ana Maria Carpenter. **Trecho da aula de Psicopedagogia no Curso de Especialização em Psicopedagogia** (nota de aula). Rio de Janeiro: Pró-Saber, 2016.

GONÇALVES, Ana Maria. **Um defeito de cor.** Rio de Janeiro: Record, 2018.

GUSMÃO, Denise Sampaio; PORTO, Cristina Laclette. **Jornada monográfica**: uma perspectiva alegórica. Rio de Janeiro: ISEPS, 2018a (mimeo).

GUSMÃO, Denise Sampaio; PORTO, Cristina Laclette. Arqueologia de si e delicadeza: a fotografia e o outro como caminhos. In: SOUZA, Elizeu Clementino de; CUNHA, Jorge Luiz da; FURLANETTO, Ecleide Cunico; BIASOLI, Karina Alves (Orgs.) **Anais do VIII Congresso Internacional de Pesquisa (Auto)**

Biográfica. Digital. São Paulo. BIOgraph, 2018b. Disponível em: http://viiicipa.biograph.org.br/wp-content/uploads/2019/02/29E1COM_COMP_Cristina-Laclette-Porto.pdf. Acesso em: 12 jul. 2020.

GUSMÃO, Denise Sampaio. Terra e memória: escavando contos e imagens nas Gerais. **Revista Brasileira de Educação de Jovens e Adultos**, vol. 4, n. 7, 2016.

HOOKS, Bell. **Erguer a voz:** pensar como feminista, pensar como negra. São Paulo: Elefante, 2019.

KILOMBA, Grada. **Descolonizando o Conhecimento Projeto Episódios do Sul**. Goethe-Institut São Paulo, 2016.

LARROSA, Jorge. Notas sobre a experiência e o saber de experiência. In: **Revista Brasileira**, n. 19, Jan/Fev/Mar/Abr 2002. Disponível em: http://educa.fcc.org.br/pdf/rbedu/n19/n19a03.pdf. Acesso em: 19 de Jun. 2020.

MONTEIRO, Paloma. **Os mil cabelos de Ritinha**. Ilustrador: Daniel Gnattali. Rio de Janeiro: Semente Editorial: 2013.

MORIN, E. **Os sete saberes necessários à educação do futuro**. São Paulo: Cortez Editora; Brasília (DF): UNESCO, 2011.

NOBLES, Wade. Sakhu Sheti: Retomando e reapropriando um foco psicológico afrocentrado. In: NASCIMENTO, Larkin Elisa (Org.). **Afrocentricidade**: uma abordagem epistemológica inovadora. São Paulo: Selo Negro, 2009.

PAIN, Sara. **Diagnóstico e tratamento dos problemas de aprendizagem**. Porto Alegre: Artmed, 1985.

RAMOS, Lázaro. **Caderno de rimas da Maria**. Rio de Janeiro: Pallas, 2018.

REIS, Adriana Martins. Autonomia e autoria de pensamento na clínica psicopedagógica. In: VASCONCELLOS, Ana Celina (Org.). **A intervenção psicopedagógica**: desafios do dia a dia na clínica. Rio de Janeiro: Wak Editora, 2018.

RIBEIRO, Djamila. **O que é lugar de fala?** Belo Horizonte: Letramento, 2017.

SOUZA, Neusa Santos. **Tornar-se negro**: as vicissitudes da identidade do negro brasileiro em ascensão social. Rio de Janeiro: Graal, 1983.

VIEIRA, Cinthia Peixoto. Afeto "inteligente": uma proposta para a individuação, autoria e autonomia. In: VASCONCELLOS, Ana Celina (Org.). **A intervenção psicopedagógica**: desafios do dia a dia na clínica. Rio de Janeiro: Wak Editora, 2018.

WILLIAM, Rodney. **Apropriação Cultural**. São Paulo: Pólen, 2019.

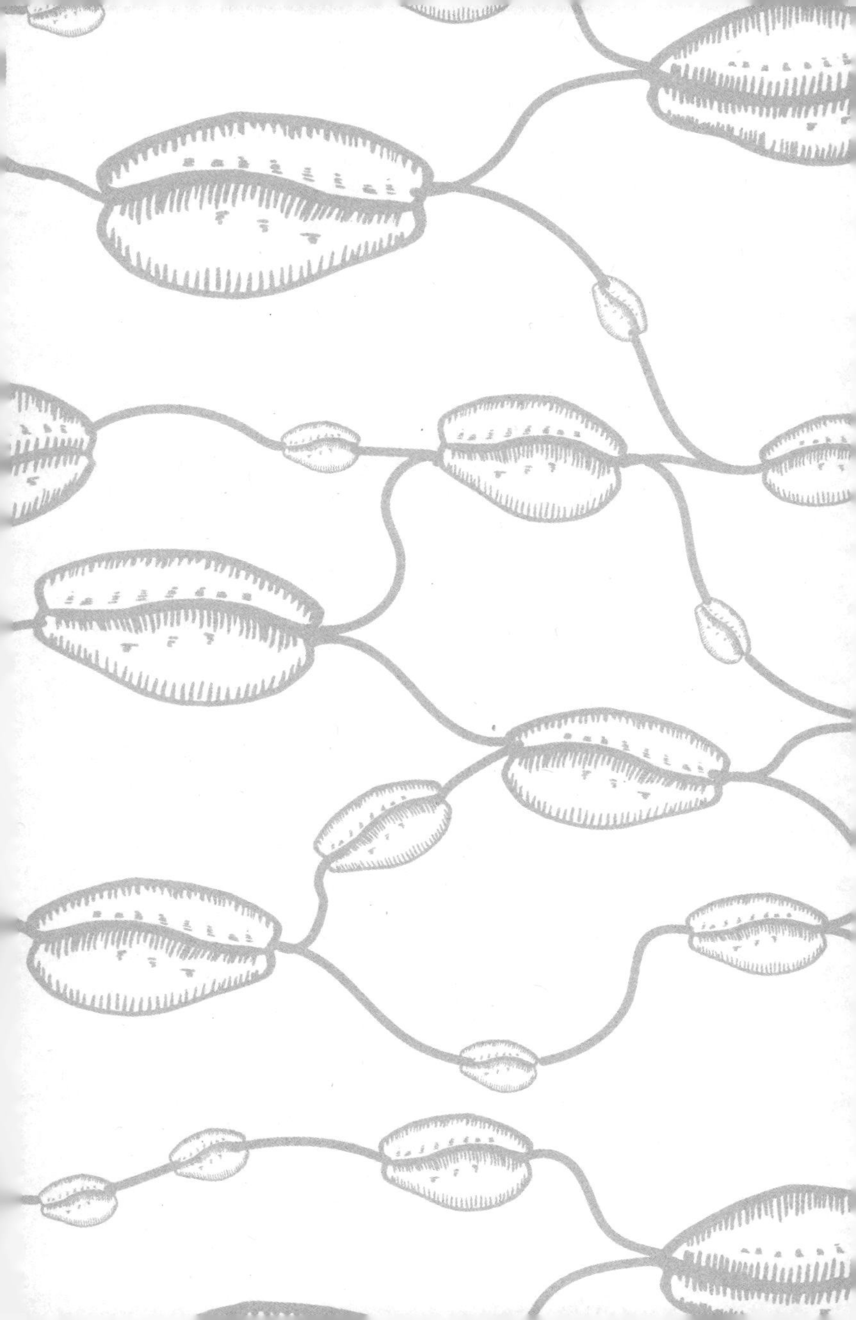

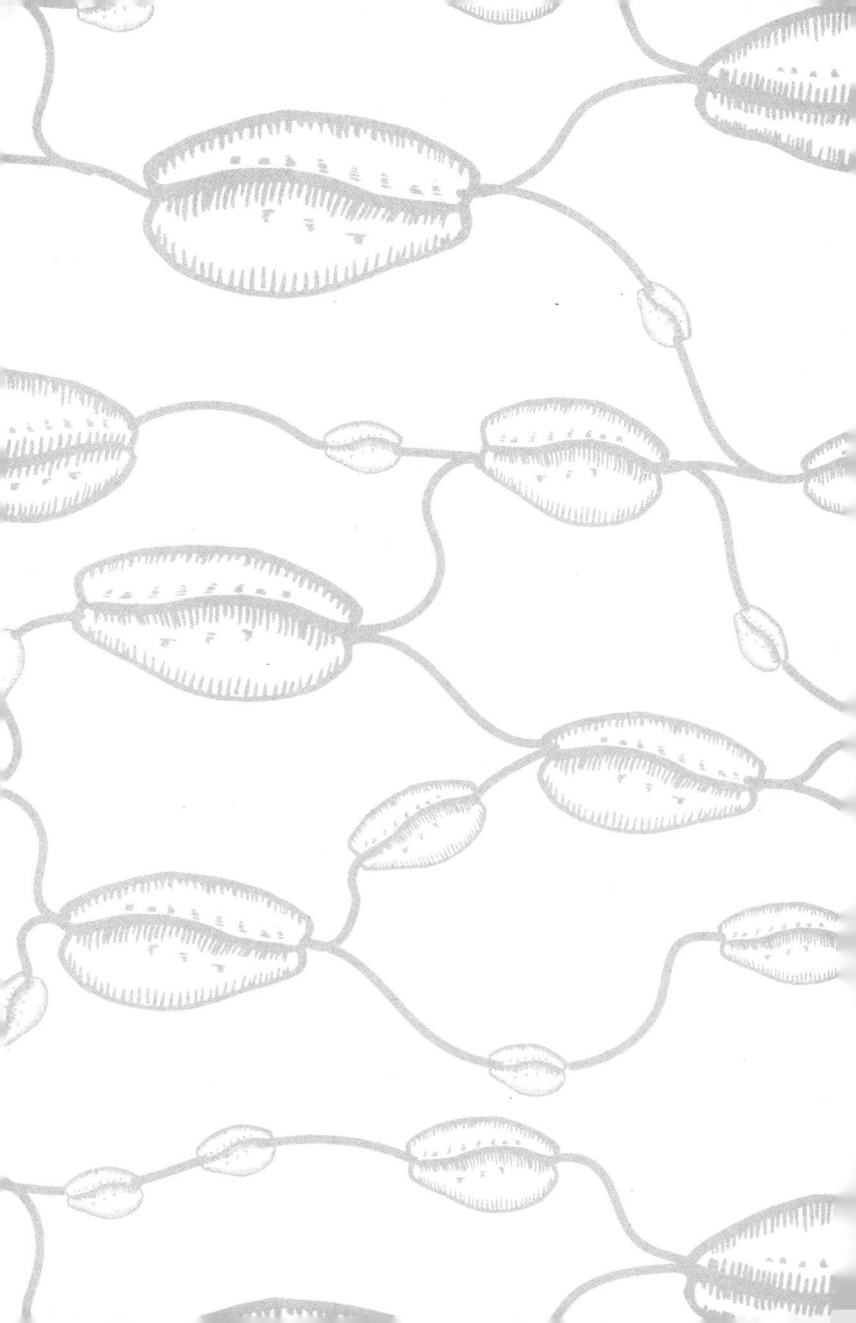

Este livro foi composto nas fontes Bitter Pro e Archer e impresso pela Gráfica Loyola na primavera de 2021 em papel Pólen Bold 90g.